Ben Borgart

Iguana

Roman

2009 Uitgeverij Aspekt

Iguana
© Ben Borgart
2009 Uitgeverij ASPEKt
Amersfoortsestraat 27, 3769 AD Soesterberg, Nederland
info@uitgeverijaspekt.nl - http://www.uitgeverijaspekt.nl
Omslagontwerp: Aspekt Graphics
Binnenwerk: Paul Timmerman
Druk: Krips b.v., Meppel
ISBN-13: 978-90-5911-845-4
NUR: 300

Na Gado en ini Sranan ala sani de mogelik!
('Bij God en in Suriname is alles mogelijk.')

Laat in de middag, als de hitte broeierig wordt, ligt Paramaribo verzonken in de schaduw van tamarindelanen. Aan de kade waaieren palmen loom in het briesje. Rond etenstijd kleurt de laagstaande zon de gevel van het *Corona Hotel* oranje. Daar tegenover de markt bij de veersteigers aan de Waterkant stopt de airportbus. Het ruikt er naar rivierdamp, asfalt en tropische kruiden. Onder de luifel van het hotel knoopt de portier, breeduit, op z'n Creools een praatje aan.

'Heeft u 'n goede reis gehad, meneer?'

Hem maar meteen gezegd wat hij wilde weten: 'Dienstreis, chef, *wroko-wroko* in de dokhaven.' Geen toerist met alle tijd van de wereld.

Zo ging dat. In die jaren was ik een machinist uit Urk, verruwd op de handelsvaart. *Time is money.* Gauw wil je even inboeken, maar bij de receptie hield zich een frêle brunette in een safaripak op. Nerveus zocht ze in haar tas. Spreidde papieren uit op de balie. Met een klets viel er een handje munten op de vloer! Zuchtend boog ze zich voorover om het op te rapen – waardeloos kleingeld – waarbij het zitvlak van haar kakibroek een bruine vlek vertoonde. Gezien haar teint was ze pas sinds kort in de tropen. Madame voelde in haar achterzak, knipperde met haar wimpers, en viste er blozend de wikkel van een gesmolten reep chocola uit.

'Ach…'

De balieman gaf haar meewarig een tissue om haar vingers af te vegen, waarna hij de piccolo maar belde. Waar bleef die boy! In zo'n situatie zou ik nu de coulance hebben betoond die een scheepsofficier betaamt, ja, had me misschien zelfs wel stilletjes vermaakt met het tafereeltje. Toen stond ik te snuiven van de ergernis. Het viel niet te bevroeden dat dit reisje naar 'de West', een routineklus, je leven zo zou veranderen dat dingen als ongeduld en rusteloosheid verzonken raakten in een zekere gelijkmoedigheid. Is tijd niet zoveel als bestaan? In de lobby van *Corona Hotel* werd het almet-al tien minuten oponthoud.

Welaan. Om er vaart achter te zetten, eerst even getelefoneerd op de kamer 3-hoog met airco. Daar kon een mens weer ademen. 'Tja, meester Schut,' croonde de dokbaas, 'in de Caraïbische zee zat er een *tornado* tussen.' Wàt? De zending machine-onderdelen uit Cuba, allang besteld, was nog niet eens overgeladen in het havendepot. 'Op z'n vroegst overmorgen.' En dan moest het hele spul nog ingeklaard… alle haast was voor niets geweest. Pet! Je overall kon nu in de koffer blijven, voorlopig werd het een tenue met shorts en op slippers.

Vanaf het balkon was het 'werk' zichtbaar, achter hijskranen bij de rivier. De *Tripoli III*. Een klein vrachtschip onder Libische vlag.

De relatie van onze rederij met een Arabisch land gaf de olietanks op de achtergrond iets explosiefs. Och, Kadhafi gold hier als een bevriend staatshoofd. Vaders waarschuwing dat Suriname een wijkplaats zou zijn voor terroristen werd door moeder herleid tot 'kwaaddenkerij'. Een taai familietrekje. Maar ja, op zee kan het geen kwaad om rekening te houden met de ergste mogelijkheid.

Gelaten keek ik uit over de stad bij zonsondergang.

Paramaribo's koloniale kern, een kerk van hout, zinkdaken, vervallen huizen. Een moskee naast een synagoge. Het briesje uit het binnenland dat de palmen deed wiegen, voerde geuren van suikerriet en *balata* mee. Een verlofsfeer. Nu het niet vlot van stapel liep, was er tijd om eens rustig te dineren, maar een machinist op de wal is een verliespost voor de rederij. En dat niet alleen – over veertien dagen zou ik in ondertrouw gaan op Urk. Dat feest moest nu uitgesteld worden! Zou Loes, die blonde dodde, m'n vissersmeisje, dan nog langer willen wachten?

De andere gasten op de patio: zakenlui uit Caribië, een hindoestaans gezelschap, vier Japanners of Chinezen en een oud *boeroe*-paar. Op de achtergrond een kwetterig clubje in Guyaanse klederdracht. De enige andere Europeaan zat stil aan een tafeltje naar de lampions te staren – de bleke brunette in safaripak.

Bij mijn komst keek ze op, rees overeind en vroeg bedeesd maar op hoopvolle toon: *Sir, are you the pilot from Swift Air?* Ze bleek een toeriste uit Brussel, verwikkeld in vervoersproblemen. Warrige lokken plakten op haar voorhoofd. De groene ogen in haar fijne gelaat, ontsierd door kringen, straalden wanhoop uit. Ruim een kwarteeuw oud, maakte deze vrouw de indruk van een verlaten kind.

Ik krabbelde onder mijn bootpet. 'U kunt beter uitzien naar een getinte persoon, sorry, hier zijn allang geen blanke piloten meer.'

'Amai!'

Haar smalle mond kreeg nu angsttrekken. Dacht de vrouw soms dat Suriname nog een Nederlands rijksdeel was? Bleu en onzeker droop ze af. 'M'n excuses, meneer, *bonsoir.*' Gezien haar gebogen hoofd scheen ze het wachten – hier een levenswijze – nu maar op te geven. Het wordt altijd morgen.

Haar wankele gang deed vermoeden dat ze bij het eerste het beste stalletje met snacks maagpijn had opgelopen. Zeker voor het eerst in Zuid-Amerika.

In het schijnsel van lampions voerden de schaduwen van bamboes een wajangdans uit. Krekels sjirpten. In de schemer leek een palmenlaan met houten huizen en veranda's een foto uit West-Indië.

In de aankomsthal van 'Zanderij' was er al een sfeer van de vorige eeuw ingetreden. Euro's ingewisseld voor guldens. Surinaamse, weinig waard, maar het pak geld maakte je beurs zo dik als die van een plantagebaas. Compleet met snor en bierbuik. Zo'n zwaarte werd grotesk toen je puffend recht ging zitten om je jasje uit te doen, en door de terrasstoel zakte. *Krak.* Gegniffel op de achtergrond. De ober klikte tussen zijn tanden – stoel kapot. Ook ik, die met m'n tachtig kilo op m'n kont neerkwam, had geen reden tot vrolijkheid. Mank! Kreunend stond ik op, en strompelde naar de bar om de pijn te stillen met drank.

Harry Belafonte: *Down the way, where the nights are gay…*

Je laatste reis als vrijgezel. Nog één keer kon er volop van het leven worden genoten. Maar ach, een zeeman van negenentwintig had het allemaal wel gezien. Kaapstad, Boston, Sydney, Bangkok, Port of Spain – oost, west, thuis best. Vrijbuitersdromen, zo langzamerhand verdreven door het burgerlijke ideaal van huis-en-gezin aan de vaste wal. Wat had alle gezwalk nu eigenlijk opgeleverd? *Black Cat*-rum en shaggies om je eerste avond in den vreemde door te komen, altijd de naarste. Heimwee als excuus. Op de vorige klus, in Aberdeen, was het whisky-soda om warm te blijven op een kille mammoettanker.

In het fluorlicht van de bar blonk een lelieblank gezicht op. Als bij toverslag werd de loomte van de tropenavond verbroken door de entree van een dame. Goed beschouwd de Waalse toeriste. Nu in een cocktailjurk, die een rank figuur aftekende. Zo had ze wat van Audrey Hepburn weg. Ze keek rond, haar wimpers trilden, en met een schokje merkte ze dat ze in de belangstelling stond van enkele danslustige zwarten. Dan zag ze tot haar opluchting een Beneluxgenoot aan de toog.

'Bonsoir, meneer, als 'k vragen mag: wat doet u in dit land?'

'Wachten.'

'Ik ook… het lijkt wel alsof iedereen ergens op wacht.'

Zo raakten we in gesprek. Daar waar *swift* een onbekend begrip was, verwachtte ze vol vliegangst een verlate piloot van Swift Air. Stervormige vlekken gaven haar wangen de gloed van koudvuur.

'Als zeevaarder,' polste ze langs haar neus weg, 'zult u wel veel reiservaring hebben.'

'Hmhm.'

Haar meer edele dan mooie gezicht kreeg dromerige trekken. 'Voorheen heb ik me nooit verder begeven dan de tropenkas van de Jardin Zoologique in Parijs, de Bloemenrivièra, de moorse tuinen van Sevilla en…' Haar zin stokte bij de binnenkomst van een noorderling met een ros baardje en gecoate bril. 'Die man heeft me gevolgd,' stamelde ze achter haar hand, 'hij zat al in de trein van Brussel naar Schiphol!'

'Dat gebeurt wel vaker,' zo stelde ik haar gerust. 'Passagiers met dezelfde bestemming, hè, maar met een ander doel.'

De man zou in zijn vale reisvest met zweetsjaaltje een journalist kunnen zijn. Met een vingerklik bestelde hij cola, stak een sigaret op en sloeg de *National Geographic* open. Het recente nummer over El Dorado. De Waalse zette grote ogen op en fluisterde: 'Frappant, in wezen is dat ook mijn reisdoel…' O, ja? Geschaduwd op haar zoektocht naar een legendarisch land! Ter kalmering bood ik haar maar een drankje aan. Kies nam ze een klein glas gemberwijn.

'Hopelijk kan ik dan eens slapen,' verzuchtte ze, 'm'n zenuwgestel is totaal gedéreguleerd.'

'Gewoon *jetlag*, mevrouw.'

Of juffrouw? Aan haar vingers blonken drie ringen, om de pols een band van jade. In haar decolleté een kettinkje met het vissenteken in platina. Ze rook naar een chique deodorant. De wijn maakte haar niet vrolijk, wel praterig, maar haar stem kwam amper boven de mambo-muziek uit. Franse termen, verduidelijkt met gebaartjes. Volgens haar was Suriname 'dankzij' de gebrekkige infrastructuur, wat massatoerisme voorkwam, nog een natuurparadijs. Hè? Armoe en economische malaise als een zegen voor de wildernis!

'Daar koopt de bevolking geen brood voor.'

'Tenzij het ecotoerisme hier tot bloei komt,' betoogde ze met blinkende ogen. 'Suriname heeft de rijkdom van het grootste aaneengesloten oerwoud ter wereld.'

Eenmaal op haar gemak, licht tipsy, liet ze glimlachend los dat ze op weg was naar indianen in boven-Sipaliwini. 'Zo, zo.' Wel wat anders dan een dagtripje naar Sioux Village in Disneyland. Alleen en ongeorganiseerd op stap in de rimboe, wat moest daar in godsnaam van terechtkomen? Enfin, haar zaak, ik had zelf al sores genoeg. Toch liet ze me niet koud. In die schemerige bar met het gerikkel van pokerstenen leek ze zo eenzaam en verloren. Een vlinder in tabaksrook.

'Als ik u was, mevrouw, zou ik nou maar gaan rusten.'

Piekerend waaierde ze wat rook van muskietenkaarsen weg. Met een bange blik op de man met het baardje fluisterde ze: 'Hopelijk komt die *barbiche* me niet verder achterna!' Ik gaf haar de verzekering dat ik zijn bedoelingen dan zou peilen. Nerveus glimlachend zei ze *merci*, en gleed van de kruk af. Omberen casanova's keken haar met toegeknepen ogen na. De Europeaan aan de andere kant van de bar vouwde zijn blad dicht en stapte ook maar eens op.

Bij zijn passage viel het op dat zijn neusrug een knak vertoonde. Hij droeg laarzen van canvas, een koppelriem, en zijn bril had een stalen montuur met clipsen. Misschien toch geen journalist. Toen ik opstond, ontlokte een pijnscheut in de lenden me een vloek. Hij keek even om. Gehandicapt door de val in de vooravond waggelde ik er achteraan, maar kwam niet ver. 'Hola,' riep de barkeeper, 'mister Samson?' Percy dacht dat je wegging zonder te betalen. Zo kon die vent in het geurspoor van de Waalse fee opgaan in de maanschemer onder zwarte palmen.

Percy er bits op gewezen dat de naam Herman Schut was. Moest je soms gevleid zijn dat je naar een bijbelfiguur werd genoemd? Ondertussen was die dame de mist in… Beloofd om een oogje in het zeil te houden! Werd ze echt gevolgd? Och, misschien was de man met het baardje op een vakantieromance uit. Ieder z'n heug en ieder z'n meug. Voor liefhebbers van slanke brunettes kon ze wel aantrekkelijk zijn, tja, maar geef mij maar blond en mollig. Toch kon ik haar niet uit mijn hoofd zetten – ze deed denken aan zus Sijtje. Ook zo teer en kwetsbaar. Haar onbezonnenheid kostte haar behalve veel straf ook menig ongeluk.

Treurig rolde ik een Samsonnetje.

Tussen vreemden aan de toog zat ik naar de foto van Loes te staren. Een Venus met blauwe ogen en appelwangen. Zolang we verloofd waren, leken er in Urk geen kapers op de kust. Ma betwijfelde het echter of zij het type van een goede zeemansvrouw was. Veelal kek gekleed en met gestifte lippen straalde Loezepoes een zekere wulpsheid uit, zelfs in de kerk. Van boven blond, van onderen ros. Voortaan dus alleen korte reisjes maken! Maar ja, deze klus ging weer eens langer duren dan geraamd. In het scheepvaartbedrijf wordt het meestal later.

Altijd is het weer vroeg dag. De volgende morgen met een kater ontwaakt op de hotelkamer. Ondanks koppijn en zere lenden stond je gewoontegetrouw om halfzeven op om op tijd in de messroom te zijn. Op het balkon werd het al warm. Meisjes van de cacaofabriek togen gearmd naar hun werk, het busstation bij de markt ging open. Voor de colabar aan de overkant kwamen werkloze jongens samen, en die hosselaars gaven het plein wat fleur met hun zonnepetjes.

Ergens in de havenwijk klonken de eerste drums op.

Hoofd onder de kraan, dat baatte weinig – het water werd niet kouder dan lauw. In de scheerspiegel de smoel van een nurkse Urker. Op weg naar de eetzaal, duf en gammel, betrapte ik me op een automatische tred. Waarom haast? Er viel niks anders te doen dan wachten tot het tij zou keren en er schot in de zaak kwam – neem het ervan.

In de stille eetzaal zaten aan een hoektafeltje de vier oosterlingen in kostuums. Koreanen? Toen de serveerster hun bestelling opnam, viel het woord *chun-mee*: groene thee. De drank van China. Ik was aan zwarte koffie toe. Na enkele slurpjes keerde de Waalse dame van gisteravond met een duizeling terug in het bewustzijn. In de omgeving viel ze niet te bespeuren. Evenmin als de Europeaan door wie ze geschaduwd dacht te worden – zeker een geval van vervolgingswaan.

Vanwege het tijdsverschil was het nog te vroeg om Loes te bellen met de mededeling dat onze datum van ondertrouw 'door onvoorziene omstandigheden' wat later kon worden dan Valentijnsdag.

De serveerster bracht het voorafje op een bord: *bakabana*. De walm van gebakken banaan in chutney maakte licht misselijk. De foto op een vakantiefolder, een korjaal op een jungle-rivier in een werveling van kleuren, wekte draaierigheid op. Elke avond en overal *dansi*. Ook een casino met sauna – een idee om het benauwd van te krijgen.

Midden in alle walging, stress en ongewisheid trad de Waalse als een opluchting binnen tussen een rouwgezelschap uit Guyana. Ze viel uit de toon. Gekleed in kimono, op muiltjes, een boek onder de arm en een lila badhanddoek als cape over de schouder. Haar lady-look van gisteravond afgewisseld met die van een geisha. Dralend bij het buffet, keek ze onbeholpen rond en zag bij het raam aan de patio de kaaskop zitten.

'*Bonjour*, meneer.'

Vaal en met wallen onder haar ogen zag ze eruit alsof ze slecht geslapen had. Wel, was die schaduw uit Europa nog opgedoken? Ze had de *barbiche* niet meer gezien, maar kreeg toch het onbehaaglijke gevoel dat hij zich in de buurt ophield. 'Enfin,' zei ze, 'm'n vertrek is thans gearrangeerd.' Ze zou om halftwaalf afreizen. Met een mengeling van vrees en enthousiasme bereidde ze zich voor op de vlucht van twee uur over het binnenland.

Nerveus glimlachend haalde ze uit haar boek een landkaart, vouwde die uit op tafel – waarbij het zoutvaatje omviel – en wees met tere vinger op een punt aan een rivier bij de Braziliaanse grens. 'Voilà, Quamal, er is een vliegveld in de buurt.' Slechts het kruisje van de een of andere airstrip in het hoogland.

'In de buurt, zei u?' De schaal even gemeten met duim en wijsvinger. 'Hemelsbreed 'n mijl of dertig... maar er is geen weg, hè.'

'U praat alsof u er geweest bent!'

'Volgens de kaart houdt daar de wereld op.'

Bij gebrek aan *Miss Blanche* bood ik haar Samson-shag aan, maar ze rookte niet. 'Prettig voor de malariamuggen, mevrouw.' Zo iemand was alleen maar gebaat bij een ontmoediging. In de rimboe van Zuid-Sipaliwini zouden kaaimannen, jaguars en goudzoekers om haar vechten! Ongedurig keek ze op haar horloge en verzuchtte: 'Het wordt alweer heet… ik ga nog maar even in de *pool.*'

'Dat zou 'k maar doen, ja, het laatste leidingwater.'

Een solotoer in de equatoriale wildernis op de bonnefooi, besefte ze wel waar ze aan begon? Gelaten vouwde ze haar kaart op. 'Merci voor alle informatie, meneer, *au revoir.*' Bij het buffet nam ze terloops, alsof eten bijzaak was, een cracker en een glaasje ananassap.

In haar verstrooidheid had ze haar boek op tafel laten liggen. *Magie du Shamane.* Op de cover twee verstrengelde slangen, dansend, worstelend of parend. 'Hé, madame!' Die hese roep scheen ze niet te horen in het geroezemoes. Bij het zwembad keek ze even rond, wuifde een wesp weg, ontvouwde de handdoek en gleed uit haar kimono. In badpak had ze het figuur van een marathonloopster. Violette rug en kuiten – zeker een minuutje te lang in de tropenzon gelegen.

Op de rand van het bassin beproefde ze met één teen de watertemperatuur, hier altijd lauw. Op dit moment klonk er een knal op. Ze raakte uit balans, en plonsde met een gesmoorde gil in het water… Wat nou? Ah, geen pistoolschot maar de knal van een ploppende kurk op de patio. Een clubje patsers ging op dit uur al aan de champagne. Alles safe. In zo'n helder zwembad scholen geen piranha's of krokodillen, er kwamen alleen een paar *Latin lovers* op af slenteren.

Zulke dingen overkwamen Sijtje ook. Ooit zwom die schat te ver in zee en werd teruggebracht door de strandwacht. Thuis zwaaide er wat! Zuslief vergat al gauw dat, waar ze zo vaak voor gewaarschuwd werd. Geen ondeugd, nee. Maar als ze weer eens uren te laat uit school kwam, haar fiets kwijt was, per ongeluk in de sloot sprong of een nest jonge katten mee naar huis nam dan keek ze zo onschuldig uit haar ogen.

Bij de hotelbalie was geen aspirine verkrijgbaar, maar enkele straten verderop zou zoiets als een *apoteki* zijn. Buiten deed de zon het asfalt smelten. Nou, dan maar liever hoofdpijn. Amechtig toonde ik de receptionist het boek over slangen-mystiek. 'Dit heeft de dame uit België in de eetzaal laten liggen.' Met een knipoog keek die zwarte dandy in de gasten-lijst. 'Miss Maghales, sir… kamer zestien.' Mij ontbrak de fut om het haar na te brengen. Toen ik *Magie du Shamane* met een plofje op de balie legde, gleed er een envelop uit. *American Express.* Ik schoof de envelop terug en pakte het boek maar weer op. Zelfs in een luxe hotel redde ze het niet in haar eentje – waar moest dat heen?

Op mijn kamer draaide ik zweterig het nummer van haar kamer. 'U heeft geloof ik cheques rond laten slingeren, madame.'

'Oh-làlà.'

Even later een klopje op de deur. In badjas en met natte, sliertige haren stond ze met blosjes van schaamte op de gang. Gemelijk gaf ik het boek met de envelop terug. 'Goed inpak-ken, hoor, alle papier wordt pulp in het regenwoud.' Ze knipperde met haar wimpers en keek me vreemd aan – haar smaragdgroene ogen peilden de mijne alsof ze in de ziel schouwde. 'Ai, ai, ge lijdt aan migraine hè.' Kon dit mens andermans pijn voelen?

Alors, ga maar 'ns even op bed liggen, monsieur… slip-pers uit en riem los.'

Meelijdend maar kordaat betrad ze de kamer met een zekere autoriteit, zoals een verpleegster een ziekenzaaltje. Verbluft gaf je er gehoor aan. *Relax.* Aan het hoofdeind gehurkt, legde ze haar koele handpalmen op mijn klamme, gloeiende slapen.

'Afgestudeerd als medisch logopedist, liep ik destijds stage in een doofstommenkliniek in de Ardennen,' vertelde ze al masserend, 'en in die sfeer van gebarentaal heb ik de stem der stilte leren verstaan.' Slikgeluid. 'Na de voortijdige dood van m'n eega ging ik *healing* studeren, thans wil ik me heroriënteren… enfin, eigenlijk ben ik gevlucht voor de helse machinerie van West-Europa!' Haar vingers klauwden even samen. 'In Amazonië hoop ik iets te leren waar ons hoger onderwijs niet in voorziet.' Alles goed en wel, maar waarom niet met een stel ervaren jungle-trotters op pad gegaan?

'Op korte termijn kon ik er geen vinden… apropos, ik heet Lucile.'

'Herman.'

Het zuiden des lands was volgens haar nog ongerept. In Noord-Brazilië werd het oerbos meer en meer ontgonnen, maar in Suriname waren alleen maar wat wegen in de kustvlakte. *'En haut* is 't één en al puur natuur en een asiel voor de laatste naturellen.' Het klonk als een ode aan het paradijs.

'Hm, de groene hel.'

'U schijnt dit land te kennen.'

'Als dienstplichtig marinier heb ik er moeten ronddarren, een kust van Amazone-slib… er kan geen grote haven aangelegd worden, industrie komt niet van de grond, en er zit er niets anders op dan cederhout te kappen.'

'Hoog tijd dat Greenpeace hier in actie komt!'

Die club had onze rederij in Dhabi een miljoenenstrop bezorgd door een oude olietanker de afvaart te belemmeren.

Zand erover. Terwijl mijn nek gekneed werd, voelde ik me gestreeld door een vleugje chili-adem. 'Laat alles maar eens los, amice.' Wat, het roer loslaten en op drift raken? Te lamlendig om erop in te gaan, vroeg ik alleen naar de betekenis van die slangen op de cover van haar boek.

'Onder mystici is de slang het symbool der zelfontplooiing.'

'Wie er in de bush op stapt, piept wel anders!'

Langzaam steeg haar knokkel omhoog langs de wervels van je ruggegraat. Met een suizing werd er een 'blokkade' in de hals opgeheven. Zacht neuriënd, kneedde ze je stramme lenden soepel. De vrouw had helende handen. Na een kwartiertje week de ergste hoofdpijn. Toen er buiten kreten van een optocht opschalden, vroeg ze op een ongeruste toon: 'Is het hier momenteel riskant voor buitenlanders?'

'O, de ene keer heisa, de andere keer samba.' Weer enigszins fit, richtte ik me half rechtop. 'Is nu alles geregeld voor de doorreis?'

'Nja, uhhh, ik moet m'n vlucht nog herbevestigen... het euvel is: Surinamers praten zo *rapide*.' Een zweetdruppel of een traan lekte van haar holle wang af.

'Bedankt voor de behandeling, Lucile, zo gaat 't wel weer.'

Ik vroeg haar het nummer van de chartermaatschappij en pakte de telefoon op van het bedkastje. Geplof aan de andere kant van de lijn. Na een kort gesprek met 'Swift Air' kon ik grijnzend de hoorn ophangen met: *Okay, captain, she'll be there in time.* Omdat de frêle jonge weduwe zich achtervolgd voelde, kreeg ze een escorte naar de rand van de stad. Vooruit dan maar. Uit hoffelijkheid en om er vanaf te zijn, bracht je haar per taxi weg naar het vliegveld Zorg & Hoop voor de binnenlandse lijnen.

Lucile Maghales nu als backpacker met parasol. Wie haar wilde schaduwen in het bonte decor van Paramaribo moest goed opletten, want ze wisselde nogal eens van kledij. Op een jungle-trekking kon ze die garderobe niet bergen. Haar begeleider stak geen hand uit om te helpen met de bagage, zodat ze niet meer meenam dan ze zelf kon torsen. Alles moest geschift worden op nut – een koffer vol ballast voor het hoteldepot. En haar bijouterie? Haar erop gewezen dat juwelen in de bush overal achter kunnen blijven haken, was het niet aan een tak of een cactus dan wel aan de tengel van een struikrover. Er bleef geen tijd om erover te dubben. Uitboeken en vertrekken! Op het laatst werd het toch nog *hurry-up* om op tijd voor de vlucht naar het zuiden te komen. De taxi stoof door ongeplaveide straten, langs martkpleintjes, over een laan met villa's en onder een bewolkte hemel door het stof van sloppen.

Uren later vlogen we zij aan zij in een vierpersoons Cessna boven de oerwouden van Sipaliwini. Hier was geen wolkje meer aan de lucht. Onderweg waren we elkaar vanzelf gaan tutoyeren.

Tegenover onze medepassagiers, een paar zendelingen, bleven we gedurende de hele reis formeel. Hernhutters uit Bern. Hij droeg een hoornen bril en een wit sikje, zij een wijd bloezende kaki jurk en een tropenhelm.

De weegschaal had de doorslag gegeven. Bij de hangar bleek die domineesvrouw zo dik, dat de stille hoop rees dat ze voor twee werd gerekend. De piloot wilde echter niet starten alvorens er, naar afspraak, een vierde passagier bij was. Waar bleef die man? Captain Roy, een zwarte Texaan, steeg alleen maar op met een volle bak. Een vertraging die Lucile tot wanhoop dreef! Het leek wel alsof de grond in Paramaribo haar te heet onder de voeten werd. Op het laatst bood ze, op het punt van huilen, aan om een retourvlucht voor mij te betalen.

'Ach, toe, amice… dan kunt ge vanavond nog terug zijn aan de kust.'

Gratis een dagje uit. Nu ja, wat viel er anders te doen? Ten slotte was je, tot haar blijdschap, in vredesnaam maar ingestapt als de vierde passagier voor Quamal bij de Braziliaanse grens. Daar zou ze het verder alleen moeten doen. In elk geval was de *barbiche* uit Europa afgeschud, wat haar verkenningstocht naar het 'wilde zuiden' een element van vrijheid gaf.

Beneden waren allang geen wegen, huizen of velden meer te zien. Alleen maar kronkels van rivieren als slangen in een zee van 'broccoli'. Tussen de plooien van het grensgebergte blonk een waterval, wat de Zwitser verrukt deed uitroepen: *So hat Gott es bezweckt!* Lucile waagde een blik omlaag op een woest heuvelgebied. Zij noemde het 'Wajanaland', naar het vroegere leefgebied van de Wajanastam. Indiaans domein was opgegaan in omringende naties, maar zonder enig zicht op grenzen vanuit de lucht vatte zij het groots op. 'Leve de vrije natuur,' jubelde ze boven het motorgeronk uit, 'weg met alle politieke barrières!'

Met het oog op de Zwitsers deed ik van ssst. Als logopedist ging ze over op gebarentaal, en toonde zich verrast dat ik het uit de losse pols kon beantwoorden. Geleerd in machinekamers. Met grimassen gaf ik haar te verstaan dat ze straks was aangewezen op die zendelingen – kon de landverdeling niet beter worden overgelaten aan regeringen? Ze liet zich erover uit met een wrang lachje en een schouderophalen. Een machinist van *Schie International Shipping*, de rederij die zaken deed met elke handelsnatie, moest altijd neutraal blijven.

Gaandeweg nam haar vliegangst af. Boven het massief van Toemoekhoemak, waar de aarde een mythologische aanblik bood, zat ze te gnuiven alsof er een vogeldroom was uitgekomen. Licht als lucht. Bij het schuin ingaan van de aanvliegroute door een canyon werd iedereen aan boord stil. Tijdens het dalen kroop ze huiverig tegen me aan. 'Amai, amai!' Een arm om haar tengere schouders hielp haar door de angstige momenten heen. Bij de landing werden we heftig door elkaar geschud. Eenmaal uitgehobbeld op een strook kaalslag in de rimboe, zette Roy de motor af, en zei me dat wij tweeën over een halfuur terug zouden keren. Oké. De drie anderen wenste hij grijnzend *good luck* toe.

In de grenspost Quamal, een kamp aan een bruine rivier onder een berghelling, heerste de atmosfeer van het oerwoud. Bij een barak met een loofdak keek een klasje gehurkte indianenkinderen stil toe. Bevreemd snoven wij de broeikaslucht van Amazonia op. Daar waar de evenaarszon op roze nekken brandde, steeg weldra het gegons op van vliegen, aangelokt door de geur van zweet. Boven een douanekeet cirkelden enkele gieren traag in achtlussen in de lucht rond.

Lucile bezag een paal met een bord NL en vroeg verbaasd: 'Is deze regio nog altijd Nederlands?' Nationale Leger van Suriname. Haar tevens opmerkzaam gemaakt op enkele ronde gaatjes in het bord. 'Maar kijk eens, als schietschijf gebruikt… men schijnt hier lak te hebben aan het wettig gezag.'

'Tja, amice, dit is van oudsher Indiaanse erfgrond.'

'De inheemsen hebben hier allang niets meer te zeggen.'

Of wel? Uit het geboomte trad een drietal rode jongemannen met zwarte baretten tevoorschijn als een delegatie uit het binnenland. Ze lieten de Zwitsers en de Walin koel passeren, maar ik werd begroet met gezwaai. Eentje wees op mijn pet met SIS-embleem – hè, ruilen? Zonder hoofddeksel zou je een zonnesteek oplopen. 'Sorry boys, ik heb hier niks te schaften.' Met hun smalle ogen keken ze me beteuterd na. De blanken zeulden hun bagage in de schaduw van een verveloze stulp met het bordje TUCAN BAR, *rum, beer & coke*, dicht met een kettingslot.

'Duizendmaal dank, cher ami,' zei Lucile met een hartelijk schouderklopje, 'ik ben er… oh, wat fantastisch, verder red ik 't wel.'

Zwijgend keken we rond in de outpost tijdens de siësta. Het dal lag benauwd tussen bergbossen in, een wijkplaats voor wilde dieren en smokkelaars. Och, zinloos om haar de les te lezen. Hoe duister de jungle haar ook werd voorgeschilderd, madame trok er toch wel in. Daar begonnen de logistieke problemen pas – vervoer in het stenen tijdperk.

'Apropos, Herman, waar zou het damestoilet zijn?'

Haar domweg op de bosrand gewezen. Omdat ze niet alleen het struikgewas in durfde, waar krekels tsirpten onder woudreuzen, moest je een eindje meegaan. Stond er besmuikt op wacht, luisterend naar gegak in het oerwoud. Apen? Gordijnen van lover en lianen verhulden een geheimzinnige schemerwereld met de broeilucht van compost. *Sjsss* klonk het in de bosjes – verschrikt wierp ik een blik achterom. O, het gesis van een straal urine in dorre bladeren.

'Serum tegen slangenbeten bij je, zus?'

'*Mais oui*, en voorts aan alles gedacht: vaccinaties, talkpoeder, tinctuur van jodium, waterzuiveringstabletten, desïnfecterende pleisters, malariapillen et cetera… behalve toiletpapier.'

Geen nood. Ik plukte een wollig blad van een heester af, blies er wat bosmieren af, en reikte het de gehurkte vrouw met afgewend gezicht aan. Na enig geritsel keerde ze ontlast terug in het zonlicht. Nu de reisstress van haar afgevallen was, keek ze stralend rond. Ze maakte enkele huppelpasjes, maar haar gezicht betrok toen ze aan de kont van haar shorts schurkte. Een soort netelblad als wc-papier gebruikt! Met eeltvingers had ik er niks van gevoeld, maar bij haar scheen het te branden als *pimento*. 'Oh, sorry.' Een vleugje romantiek dat in de lucht had gehangen, ging teloor in pummeligheid, jeuk onder de oksels en geuren van rottende vegetatie.

Lucile trok geen les uit het voorval. Dit voorproefje van de kwellingen van een jungletrip was haar niet genoeg om nu verstandig de retourvlucht te nemen. Vol gêne maar vastberaden verkoos ze de tropische wildernis boven een boudoir in Brussel. Je kunt van haar zeggen wat je wilt maar niet dat ze kleinzielig was. Even later juichte ze alweer bij de verschijning van een enorme vogel in de lucht. 'Voilà, een harpij!' De slagschaduw van zijn vlerken gleed over ons heen.

Ik krabbelde onder mijn pet. 'Zeg kind, hoeveel weeg jij?' Zo'n apen-arend kon haar misschien best de lucht in krijgen.

'Ach wat, Herman, gij dramatiseert alles!'

Nu ze me doorhad was ik uitgeluld maar kon het niet nalaten om met een overdreven harde pets een kevertje van mijn wang af te slaan. De echo van die tik werd beantwoord met spotgelach uit de omgeving. Papegaaien? Het idee dat onze bewegingen werden gevolgd door ogen, verborgen achter bamboes in het dompige briesje noopte tot spoed. Nog een kwartier de tijd om schoon schip te maken.

De kampbeheerder, een grijze mulat in legergroen, liet de vreemdelingen hun naam met inktpotlood in een schrift schrijven. Voorts geen formaliteiten. Loom ging hij de gasten voor naar hun 'lodge' met palmloofdak aan de rivier. Een houten vertrek met vier britsen, in tweeën gedeeld door een wandje van vliegenstroken. Logies zonder bidet. Het comfort: een jerrycan met gekookt water, olielampen, een pitje butagas en een po van een roestig melasseblik.

Hé, een gat in haar klamboe waar een hand of een vogelspin doorheen paste. En *what about* vampiervleermuizen? Enfin, mond dicht, anders kon die prinses op de erwt niet slapen en zou het helemaal een lijdensweg worden.

De beide Zwitsers schikten zich wijs en rustig in de omstandigheden. De Waalse hoefde niets anders te doen dan wat die ervaren tropenreizigers deden. Ondanks schaduwen over haar onderneming kreeg ze een kleurtje. Met een blije zucht legde ze haar rugzak af op de brits, aangetast door termieten. Eenmaal in de prehistorie beland, zoals ze dat zei, nam ze genoegen met een zekere eenvoud. Wel betreurde ze het dat haar 'cavalier' niet kon blijven logeren. Ja, ja, zou ze je desnoods willen verleiden om haar te volgen naar het hart van Toemoekhoemak?

Eigenlijk mocht ze niet klagen. Tot haar geluk waren de zendelingen ook op zoek naar Indio's in het grensgebied. Die gingen in zee met een goede uitrusting, bush-kennis en de nodige geloofskracht, maar Lucile voelde zich bezwaard met zulke tochtgenoten. 'Zij willen de laatste naturellen kerstenen... dan is het *fini* met de Indiaanse cultuur!' Net als zus Sijtje geloofde de vrouw nog in sprookjes.

Terloops bekeek ik de motor van hun korjaal aan een vlonder in de rivier. Een Ford kopklepper 1969 – zowat antiek. Zonder mechaniker aan boord kon de boel onderweg wel eens uitgeplofd raken. Twee inheemse schippers in zwembroeken stonden er stil en met geloken ogen bij, klein maar gespierd. Natuurmensen.

De gids was een Braziliaan in jeans met een fijn snorretje en een Winchester buks in een gitaarhoes aan de schouder. Ramon Bonito. Op de steiger ontving hij Frau Hulvig met open mond terwijl de planken kraakten onder haar gewicht. Bij de komst van de Waalse fee veerde hij op. *Hi, senhora.* Voor haar kapte hij met zijn machete galant een bananen-blad af als parasol. Ik wenkte Lucile apart om haar onder vier ogen te waarschuwen voor zo'n zoetgevooisde ladykiller. Knoopte met een gemompeld excuus het bovenste knoopje van haar shirt dicht. Ik schraapte mijn keel om een hartig woordje met haar te wisselen, maar kabaal uit de rimboe deed ons stil luisteren. Net het gejoel van een ploeg koppensnel-lers.

'*Howlers,*' verklaarde de gids. Wat nou, brulapen? Ramon hief grijnzend zijn buks op, en zwaaide met een hand langs zijn oor van lekker.

Ik keek Lucile strak aan: 'Apenvlees.' Na een korte hui-vering wuifde ze het idee weg met haar zakdoekje. 'Ik eet vegetarisch, amice.'

Schamper wees ik naar de woestenij aan de overkant van de Rio Alama. 'Daar is het van eet of wordt gegeten!' Ze slikte eens, maar liet zich niet van haar koers naar de groene hel afbrengen. Het stond in de sterren geschreven. Haar oppas-ser moest nu langzamerhand aftaaien en terugkeren naar de bewoonbare wereld.

Op het uur dat de schaduwen gingen lengen en de lucht drukkend werd, liep Lucile gearmd mee naar de airstrip. Een zwaar afscheid. Hoewel we elkaar pas twee dagen kenden, types die weinig van elkaar begrepen, was er toch een zekere band ontstaan. Noem het broederlijke gevoelens.

Op dit punt van haar droomreis moest ze worden toe-vertrouwd aan 'het gezag' in een negorij aan het eind van de wereld, waar vervelde zoeaven zo'n *blanca* bezagen als een roomijsje.

'Misschien ontmoeten we elkaar ooit nog een keer, beste Herman, is het niet in dit leven dan misschien in een volgend leven.'

Ik slikte eens, knikte en gaf haar een hand. 'Welnu, 't was me een eer en genoegen om…' Spontaan maakte zij er een wangkus van. 'Nu kun je nog terug, m'n lieve Sijtje,' hakkelde ik, 'uhhh, Lucile.'

Verlegen om de verspreking keek ik haar, dom genoeg, even van dichtbij aan. Die smaragdgroene ogen waren biologerend. Met zo'n soort blik zal Eva Adam ertoe hebben bewogen om van de verboden vrucht te proeven.

'Hai, sorry,' zo klonk een basstem op, 'uhhh…' De piloot van Swift Air met een mededeling voor de retourpassagier. *Shortage of fuel.*

Wat wil het geval? Tijdens de siësta was in het magazijn het laatste vat kerosine afgetapt, volgens captain Roy door 'Tucayanas' oftewel de jongens met de zwarte baretten. *Guerrillos, sir.* Ontwaakt uit gezwijmel, schudde Lucile van nee. Volgens haar kregen die Tucayana's, een vage groepering inheemsen, overal de schuld van en fungeerden als politieke zondebok.

Enfin, een kink in de kabel. Door de lage waterstand kon men geen brandstof over de rivier varen – het moest worden ingevlogen uit Ulemar, 70 mijl noorderlijker. Het vertrek werd morgen! Captain Roy liet zijn kauwgum eens klappen, deed van tja, trok gelaten zijn overall uit en sjokte naar de radiohut annex kantine in het doodse kamp.

Terwijl ik het hoofd liet hangen, zag Lucile het van de zonzijde. 'Och, amice, *pas de chance*, maar waarom er geen vakantie van gemaakt?' Toen ik naar mijn zakdoek graaide om zweet te wissen, bleek er een knoop in te zitten. Loes vergeten te bellen! De combinatie van een kater en Luciles verstrooiende invloed had tot het verzuim van de melding van goede aankomst geleid. Thuis dachten ze nu dat er wat fout zat. Aangezien er in Quamal geen sateliettelefoon was, alleen een radiozender met beperkt bereik, zou die ongerustheid op Urk voorlopig blijven bestaan.

Over een paadje tussen yuca's liepen we stilzwijgend naar de rivier. Achter een barak zaten soldaten in hun blote body te dobbelen rond een olievat. Bij onze verschijning stopte het gerikkel van de stenen. 'Wat gapen die lui me aan!' lispelde Lucile. Ze hadden zeker in geen maanden een loslopende dame gezien.

'Awel,' stelde ze huiverig voor, 'laten we doen alsof we 'n koppel zijn.'

Toen ze haar arm om mijn middel sloeg, legde ik voor de show een hand om haar iele schouder. *Bezet.* Als een paartje op huwelijksreis stonden we hand in hand over de rivier uit te kijken. In tegenlicht kwam er een kano de stroom afdrijven, bemand door dat trio met de zwarte baretten. Peddels of geweren op hun knieën. Op hun handgroet knikte ik stug – was hier nu toch gebleven – maar Lucile wuifde hen vriendelijk toe. Hadden die kwanten de kerosine dan niet afgetapt?

Lucile snoof. 'O, *peut-être*, het zijn idealisten voor een vrij Wajanaland.'

Het klonk alsof ze hen kende. Mogelijkerwijs had ze het zo geregeld, opdat het vliegtuig aan de grond bleef en ik noodgedwongen bij haar. Maar ze leek me helemaal niet berekenend… Een zware plons in de rivier deed ons opkijken. Die van een tapir? Onder gebubbel rees enkele meters uit de oever een witte bol boven het oppervlak uit. De badmuts van Frau Hulvig.

Terwijl Lucile dromerig over de stroom stond te staren, nam ik haar en profile op. Met haar gebogen neus en donkere wenkbrauwen had ze iets van een mediterrane mens, misschien joods. Haar oorbellen fonkelden in een door het lover vallende zonnestraal: briljanten?

Haar nog maar eens gewaarschuwd voor menselijke eksters en het gevaar dat sieraden licht achter uitsteeksels blijven haken. 'Weet je, zus, m'n pa verloor een vinger toen z'n trouwring aan een kram bleef haken.' Luisterde ze wel? Gelukkig volgde ze de raad op om haar juwelen in haar zakken te bergen, op een gewijde polsband na.

Op het door lianen overhuifde pad naar onze lodge dook de gids op uit de schaduw. Ramon hield een oogje in het zeil. Het scheen hem een teleurstelling te zijn dat ik niet had kunnen afreizen. Hij nam maar al te graag de taak van cavalier op zich. Hij legde een hand achter zijn oor en maakte ons attent op een vaag gebrul aan de overkant van de rivier. *Jaguars.* Gewoonlijk waren die grote katten schuw maar nu, aan het eind van de droge tijd, begon hun paarseizoen en vielen ze met hun krolse kop alles aan wat in hun territorium kwam. Vandaar dat de Winchester .22 aan zijn schouder altijd was doorgeladen.

Hadden wij trouwens al honger? Ramon schudde wat cicades uit een struik. Hij ontdeed ze van kop, schildjes en poten, en roosterde ze even boven zijn aansteker als *hors d'oeuvre.* Een soort torren! Ik bedankte er met een neeschudden voor, maar Luciles nieuwsgierigheid won het van haar afkeer van dierlijk voedsel. Na het 'krokantje' dapper te hebben weggekauwd, zei ze glimlachend dat het naar asperge smaakte. Ramon knikte verguld. Onder zijn hoede zou madame in de *selva* niets tekort komen – evenmin op het gebied van romantiek?

Behalve in *'woodcraft'* was de knappe gids ook geïnteresseerd in orchideeën, die hij bewaarde in zijn gitaarhoes. Een *cabloclo* met de charmes van een vlinderjager.

Toen Lucile wist dat cicades eetbaar zijn, waande ze zich in luilekkerland. Haars inziens was de mens van nature een 'frugivoor', ingesteld op een dieet van fruit, sla, noten en eiwitrijke insecten. Manna alom. Ze meende dat ze als een heilige in de woestijn kon leven van sprinkhanen en wilde honing.

In de rimboe kon je haar eigenlijk geen moment alleenlaten. Haar jade polsband bleef haken aan een stronk. Ho! Een panterpaadje is geen boulevard in Brussel. Wijzend naar een vlucht ibissen, de blik op schoonheid, liep ze pardoes in een struik met rode bessen. 'Ai, ai…' *The kiss of the jungle.* Stekels in haar flank opgelopen – vuurdoorns, die dwars door katoen heen prikken.

'Tja, madame.'

Beduusd wilde ze haar brandende lende bekijken, maar ging dat op mijn verzoek in de lodge doen. Buiten konden er mannenogen meeloeren! Afgezien van Frau Hulvig, die dikzak, was Lucile Maghales de enige blanke vrouw in de wijde omtrek. In het kamp hing een geladen sfeer van hunkering.

In de lodge werd het laat in de middag zo heet als in een oven. Toch hield dominee Hulvig zijn grijze overhemd met witte boord aan. In dit vertrek zonder tussenwand bestond weinig privacy. Onze britsen stonden op amper een armlengte van elkaar af. De evangelist had met zijn leikleurige ogen onder wattige wenkbrauwen iets vaderlijks. Frau was een ervaren tropenarts, maar Lucile wenste niet door haar behandeld te worden.

'Expeditieleden,' fluisterde ik, 'die moeten elkaar bijstaan.'

Ze maakte een pruilmondje en vroeg hen een pincet te leen. Eigenwijs! Zolang madame niet naar goede raad wilde luisteren, mocht ze er niet op rekenen dat je haar de hand boven het hoofd bleef houden. Met een pijnlijk loopje trok ze zich terug in de schaduw achter de lodge. Net Sijtje, die alle ouderlijke raad in de wind sloeg. Hoewel zuslief niet exact kon denken, had ze een talenknobbel. Wanneer pa haar de les las dan zei ze alleen of het grammaticaal goed of fout gezegd werd.

Gedrieën zaten we rond een pruttelende theepot op de veranda. *Sie schaft es nicht*, bromde de dominee. Zijn vrouw knikte zwijgend. Ze zaten met zo'n naïeve dame opgescheept, en het leek alsof ze niet op de vingers gekeken wilden worden. In elk geval was er niet op meer dan twee personen gerekend. Frau Hulvig placht te koken maar hij beheerde de proviand, want in de jungle zou voedsel zeer schaars zijn. Toen Lucile terugkwam, waagde ze dit te betwijfelen.

'De mens is een primaat… hangt de jungle niet vol fruit?'

'Het zijn juist de apen, Fräulein, die alle fruit van de bomen af vreten.'

'Tot hun recht, het zijn hùn bomen.'

'God heeft ons aangesteld als houtvesters in zijn bosrijk!'

Lucile keek me met opgetrokken wenkbrauwen aan, maar ik koos geen partij. Ze moesten het zelf maar uitzoeken. Voor een machinist was het een prettig idee om morgen terug te keren naar de civilisatie van de twintigste eeuw. Hier viel weinig of niets te sleutelen.

De lodge was geen kluis rijk, zodat haar juwelen het beste in haar kussen verstopt konden worden. Zo kon men de eigenares 's nachts niet beroven. Toen ze haar toilettas leeg schudde op de brits, rolde er ook een pakje *Délices d'Amour* uit. Condooms. Bij het openritsen van haar kussentijk glipten uit de kapok enkele tropische kakkerlakken. 'Eetbaar, zus?' Haar was het ook al opgevallen dat in de Amerikaanse tropen alles groter en feller was dan in het avondland. Dit trok haar juist wel. Met een huiverig respect voor al wat leeft wuifde ze de zwarte torren weg met haar waaier. Vanwege de benauwdheid binnen, was het verkieslijk om buiten de rondgonzende vliegen maar te trotseren terwijl de muskieten nog sluimerden.

'Het wordt tijd om het stadsstof af te spoelen, amice.' Ze rekte zich als een poes uit. 'Zullen wij maar eens 'n frisse duik nemen?'

'Ik heb geen zwembroek bij me.'

'Och, nu ja.'

Hoe zouden Hernhutters tegenover bloot staan? Op die in haar nekdons gelispelde vraag haalde ze haar schouders op. In de saunasfeer was een bad eigenlijk geen overbodige luxe. 'Maar dan wel een endje verderop, zus, uit het zicht van soldaten en puriteinen.' Haar schaterlach werd overgenomen door ara's in de oeverbomen. Net als Sijtje placht ze op de verkeerde momenten te lachen, alsof het haar geestig in de oren klonk, maar je wist nooit of ze je toe- of uitlachte.

Via een pad door een bamboebos liepen we in ganzenpas naar een kiezelveldje bij een inham om de bocht van de rivier. Nergens meer sporen van mensen. 'Oóh,' jubelde Lucile, op grote drijfbladen wijzend, 'de *Victoria regina*.' Tussen alle warboel van de rimboe merkte ze alleen het fraaie op. De rest – zandvlooien, teken, schorpioenen, drijfzand – zag ze in het paradijs van Rousseau licht over het hoofd.

Neuriënd gleed de vrouw uit haar safaripak en stroopte haar plakkerige ondergoed uit. Zo nuffig ze in de stad was, zo frank en vrij gedroeg ze zich buiten de perken. Hier voelde ze zich thuis als een nudist op een terrein voor naaktrecreatie. Hopelijk zag ze door die roze bril het verschil tussen een boomstam en een kaaiman in het papyrusriet.

Vanuit mijn ooghoeken hield ik haar bewegingen verlegen in de peiling. Ik schaamde me voor mijn rosharige pens. Haar lijf bleek al evenmin een pronkstuk te zijn. Ietwat tuitige borsten, dunne billen, een dot raghaar tussen haar spillebenen. Geen Adam en Eva.

'Niet verder dan het pierebadje, hoor, zus.'

Luisterde ze wel? Vervoerd zoog ze de geur van wilde kruiden in haar longen als was het levensadem. Op een keisteen aan de wal gezeten, maakte ze nog een notitie in haar reisschrift. Veerde plots op – 'oehhh' – haar blote bips gebrand op gloeiend basalt. Staande schreef ze de strofe even af. Onder alle omstandigheden hield ze dit journaal bij in vloeiend sierschrift.

In de rivier ontpopte Lucile zich tot een beeknimf. Kon ze wel zwemmen? Je bleef een beetje in de buurt. Dartel poedelde ze rond aan de rand van het diepe. Toen ze met een gilletje loskwam van de bodem, spoelde ze vanzelf tegen je aan. Met haar armen om je nek neuriede ze wat, totdat enkele knallen in de *selva* haar buik deden verstrakken.

Tot aan haar middel in de stroming pakte madame, graaiend naar houvast, per abuis even een elastisch aanhangsel beet. 'Oh-làlà, pardon…' Gelukkig niet de kop van een sidderaal. Voordat het een 'paal' kon worden, gooide ik het over een andere boeg. Hield ze van acrobatiek? Om wat tussenruimte te scheppen, maakte ik in een speelse bui van mijn handen een stijgbeugel voor haar voet.

'Hoepla, zus, daar gaat-ie!'

Toen ik haar over mijn schouder wierp, met enige bravoure, vergat ik dat ze zo licht als een engel woog. Ze vloog meters door de lucht en kwam in de stroomgeul terecht.

Plons, met een gesmoorde gil ging ze onder. In het midden kwam ze boven. Ze werd aangezogen door een draaikolk, wuifde om hulp, en dreef weg om een kronkel van de stroom. Algauw te ver voor stemcontact. Panisch wilde ik haar in de binnenbocht opvangen via het land. Als een idioot crawlde ik naar de kant maar zakte er tot heuphoogte in het slijk weg. De ruige oeverwal met een wirwar van luchtwortels bleek onbegaanbaar. 'Lucile, Lucie!' Hijgend even staan luisteren. Er viel alleen wat gefluit in het bos te horen en verderop het ruisen van een stroomversnelling, of misschien een waterval.

Circa tien minuten later kwam je melding in het kampkantoortje aan. 'Attentie, *spoed*, er is iemand verdwenen!' Een tamme ara ging krijsen. Verstoord in gedommel zette de kapitein zijn pet op zijn grijze kroeshoofd. 'What, wwég?' De zware Surinaamse w's gaven zijn woorden extra gewicht.

'Die Belgische dame is meegesleurd door de rivier!'

De oudste zette grote ogen op en krabbelde in zijn nek. 'Een ecotoerist, hè.' Hij pofte zijn wangen op. Met radde tong sprak hij wat in zijn walkietalkie, daarna bekeek hij me met toegeknepen ogen. 'Hoe kon dat nou gebeuren?'

'Tja,' zei ik met stroeve keel, 'wij waren daar aan het baden…'

'U was dus ter plaatse.' Met gefronste wenkbrauwen beluisterde hij even een knetterend bericht. 'Zeg eens, meneer, hoe ging de persoon gekleed?'

'Uhhh, op dat moment droeg mevrouw geen kleding.'

De ander kuchte en sprak in de microfoon: 'Nakie.' Er toog een speedbootje op af – hier werd het machteloos afwachten. Meewarig bood hij een sigaret aan ter kalmering. Terwijl hij vuur gaf, wees hij op de tatoeage van een anker in een hartje op mijn pols. 'Zeker een zeeman…' Hij had vroeger ook gevaren. Starend haalde hij herinneringen op uit zijn tijd als matroos bij de KNSM, de Reperbahn, het carnaval in Rio en piraterij in de Straat van Malakka. Met de opkomst van offshore-terminals toen er geen tijd meer bleef voor passagieren, ging de jeu er af.

'Wij zijn ver van de zilte baren afgeraakt, hè,' verzuchtte hij en liet zijn blik over het hoogland van Tumuchumac dwalen. 'Wat heeft u hierheen gevoerd?'

'Ik heb haar weggebr…' Slikte het in. Wegbrengen, in maritieme kringen de term voor een jacht afzinken in zee voor het verzekeringsgeld!

'Humm, wat weet u zoal van de desbetreffende persoon af?'

'Eerlijk gezegd was ze me een raadsel.' Ik sloeg mijn ogen neer. 'Een excentrieke weduwe uit Brussel, die geloof ik indiaans wilde worden.'

'Dan was ze niet arm… safarigangers, dat zijn voor ons kapitalisten.'

Hij haalde een vel rapportpapier uit de lade van zijn bureau.

Na verloop van een kwartier, doorgebracht in ongerustheid, kwam het bericht binnen dat de zoekploeg terugkeerde. 'Nou, uhhh,' mompelde de kapitein, 'er is wat bij de *soela* gevonden…' Ik stampte mijn sigaret uit en vloog overeind, maar durfde nog niets te vragen. Stilzwijgend repten we ons door het kamp naar de damp van de rivier. Waar een viertal soldaten, aangemeerd in hun motorvlet, wat druipends tussen nieuwsgierige Indianen op de steiger schoof. Iets onder een zeiltje op een brancard van bamboestaken.

Een kring vage omstanders stond er sprakeloos bij.

Achter het gordijn van loofwallen aan de overkant van de stroom klonk getrommel op. De kapitein pufte eens en bukte zich bij de vondst op de brancard. Toen hij in een doodse stilte het zeiltje optilde, lag de ongelukkige slap voorover op het canvas. De rugkant was gaaf op wat krasjes na, de donkere haren lagen over de nek gewaaierd maar de huid had al de tint van rivierslik aangenomen. Verdronken? Toen het lichaam werd omgewenteld ging er een gemompel van afgrijzen op. Het mens was een tengere, jonge mesties met een rond gaatje in zijn voorhoofd.

'Een illegale *Brasileiro*,' zei iemand, 'ze worden nog uitgekleed ook.'

Ondanks het trieste van dit tafereel kon ik opgelucht ademhalen. Het lijk had alleen van achteren aan Lucile doen denken. Wel werd ze nog steeds vermist maar zolang ze niet was gevonden, bleef er hoop op leven. De kapitein keek onverminderd somber. 'Dat hebben wij niet gedaan, hoor,' zei hij met het oog op de dode goudzoeker, 'veeleer *indios*.' Zijn grootste zorg was de positie wáár de toeriste kon zijn aangespoeld, ten noorden of ten zuiden van de landsgrens. In het laatste geval zou het een zaak voor Brazilië zijn.

Nu de vermiste niet per boot opgespoord was, moest er via land worden gezocht. Terwijl we ons bedrukt gereedmaakten, dook onder bomen aan de waterkant het trio met de zwarte baretten op. Wat wilden ze toch! 'Geen tijd', bitste ik, en passeerde hen ijlings over een bospad achter soldaten aan. De gids viel nergens te bekennen. Ramon, die had moeten opletten, scheen de wijk te hebben genomen.

Bij de inham waar het 'ongeluk' plaatsvond, lagen haar kleren nog op een kei aan de oever. Vanaf dit punt viel de loop van de rivier niet te overzien. Op herhaald geroep kwam er geen antwoord uit de rimboe. Een zoektocht in de omgeving leverde niet het geringste spoor van de vermiste op. Toen ik me in godsnaam maar over haar spullen wilde ontfermen, deed de oudste van halt en bekeek eerst even afdrukken in het zand. 'Ik zie maar één paar voetprinten… zeker de uwe.' Zij was hier toch ook geweest, tenzij je het gedroomd had.

Een sergeant wees op een ander voetspoor, kleiner van maat, amper zichtbaar. De oudste zette zijn zonnebril af en hij moest toegeven dat zijn mindere gelijk had.

'Ghum,' gromde hij verbaasd, 'een mens zo licht als een waterhaas!'

Ik deed er verslagen het zwijgen toe. Als ze niet zo licht had gewogen dan was er niets loos geweest. Had je je argeloos verslingerd aan een fee, een engel of aan een heks? Om in zo'n soort strafproces onschuld te kunnen bepleiten, zou een advocaat van de duivel nodig zijn.

De inhoud van haar handtas getuigde van een chaotische geest. *Magie du Shamane* als een bijbel tussen allerlei frutsels. Er zaten beurs noch sleutels in maar wel een piramidevormig steentje aan een ketting. Volgens de kapitein een pendel, iets als een 'geestelijk kompas.' In de zakken van haar pak geen identiteitspapieren, alleen wat parafernalia, waaronder tampons en zakdoekjes met het borduursel van een Bourgondisch familiewapen. Voorts haar in marokkijn gebonden reisjournaal met op de kaft haar adres en telefoonnummer in Brussel. De kapitein sloeg het benieuwd open op de laatst beschreven bladzij.

Gelijk een kwartet astronauten zijn wij neergedaald in bosrijk hoogland, waar de Aarde een prehistorische aanblik biedt; in 't verloop van 2 uur vliegen honderden jaren teruggereisd in de tijd! Onze gids beijvert zich om de expeditie vóór het begin v/h regenseizoen 'en route' te krijgen. Eenmaal geïnstalleerd in een simpele riverlodge verlang ik naar een bad, doch durf niet alleen de woeste periferie te betreden; daarom doe ik de Hollander het verzoek om begeleiding. Tezamen poedelen, daar heeft zo'n ijsbeer wel oren naar; vermoedelijk is 't hem om pikanterieën te doen, in zekere zin een opluchting...

ik vreesde al dat hij die achtervolger in Paramaribo had afgelost.
Op een rustiek rivierstrand kan ik ten slotte de kluisters van m'n bezwete kledij afleggen als loze ballast in Wajanaland.

Na het voorgelezen te hebben, keek kapitein Ombre me aan. 'Die ijsbeer bent u, hè.' Hij haalde zijn Colt uit de holster en lichtte met de loop gefrappeerd een zijden damesslip op. 'Hee, bloed.' Och, zeker het rood van menstruatie, maar volgens hem niet zo best, want *piranha's* konden de geringste spoortjes van bloed in het water ruiken. 'Nou, hier doken jullie de rio in… verder niks bijzonders?'

'Nee, chef.'

Ja, alleen dat mevrouw Maghales in Amazonia vreemd was veranderd. Eenmaal in Evakostuum kreeg ze iets van een big, ontsnapt uit een biofabriek om als een zwijn in de modder rond te kunnen wentelen. Het ging niemand wat aan. Trouwens ook maar verzwegen dat het slachtoffer per abuis in de stroomgeul werd gegooid. Hoewel ze kon zwemmen, was het een bange vraag of ze de stroomversnelling voorbij Quamal had weten te overleven. Achter die *soela* konden kaaimannen op prooi liggen te wachten. Zo zou ze spoorloos zijn verdwenen. In dat geval waren er zelf geen botten van overgebleven – de perfecte misdaad.

Wanneer iemand twee etmalen was vermist, werd er pas een rapport opgemaakt, maar Ombre vroeg alvast wat gegevens over haar. Leeftijd van rond de dertig, ongehuwd, van beroep logopediste. De vraag naar haar godsdienstige overtuiging, misschien gesteld met het oog op de begrafenis, kon je al evenmin beantwoorden. Ombre trok zijn wenkbrauwen op.

'Als ik 't goed begrijp, bent u dus in zee gegaan met een onbekende.'

Toen het punt van onze persoonlijke verhouding ter sprake kwam, eigenlijk een avontuurtje, deed ik het onderwerp af met een zucht en een schouderophalen. In deze tragiek was zwijgen gepast.

Toen de schemering viel en de omringende jungle allengs donker werd, gaf de kapitein het sein voor de aftocht. Luciles spullen nam hij zolang in bewaring. Op mijn wens mocht ik de pendel hebben, en ook haar pocketboek gaf hij na een kort doorbladeren af. De cover met het plaatje van verstrengelde slangen, een zwarte en een witte, intrigeerde hem niet. Mij wel. Misschien wierp de inhoud enig licht op de motieven achter haar vlucht in de wildernis van Zuid-Amerika.

Op die in treurnis gedompelde avond kwam er niets van lezen. De zendelingen schonken onder de luifel van hun lodge als troost een kroes koffie. Ook zij maakten zich ernstige zorgen. Volgens pastor Hulvig was in dit afgelegen gebied het kannibalisme nog maar net of nauwelijks uitgebannen. Hun missie was licht brengen onder de wilden. En dan te bedenken wat Lucile fel had opgemerkt: 'Waarom de inheemsen in Godsnaam hun eigen cultuur afnemen?' Zij was voor het behoud van de Indiaanse tradities.

De titel van haar boek, *Magie du Shamane*, deed de Hulvigs licht huiveren. Misschien had Lucile die 'toverleer' bestudeerd om de Indio's te kunnen volgen in hun magische wereld. Of, zoals Hulvig het met flikkerende ogen zei, het pandemonium van heidense duivelskunst.

Stil zat ik te luisteren naar enig teken van leven bij de rivier.

De Zwitsers schenen het geen ramp te vinden dat Lucile nu niet mee op expeditie kon. Helaas, zo'n New Age-priesteres zou hun maar voor de voeten hebben gelopen. Ondanks de verdenking die omtrent mij gerezen was, bleef de dominee hoffelijk. Alsof het hem eigenlijk niet slecht uitkwam dat de *Belgierin* was afgevallen. Frau Hulvig diende moederlijk een bord pork met maïs uit blik op, hier een koningsmaal, maar mijn verkrampte maag kon het niet aan. In toenemende ongerustheid, slap van verdriet, zitten uitkijken over de Rio Alama in vervagend avondrood.

Terwijl het donkerde en de rimboe zwart werd, wijdden de Zwitsers geknield een gebed aan de vermiste. Met gevouwen handen sloot ik me erbij aan. Na het 'Amen' gingen zij op bezoek in een naburig dorp van bekeerde Akurio-indianen.

Gespannen bleef ik afwachten of Lucile nog zou opdagen in de vale maneschijn aan de rivieroever. Uren tussen hoop en vrees. Als er in een stormnacht kotters op zee waren, verzamelden de eilanders zich in de kerk om galmend psalmen om hulp te zingen, zodat ramen er bol van stonden – loeistemmen uit het Urker mannenkoor.

Maar ach, de Waalse fee geloofde niet in God, evenmin als Sijtje. Zuslief, die niet stil kon zitten, hield het in de kerk geen vol uur uit. Haar broer was ze een blok aan het been. Pa voer doorgaans en ma werkte in de visfabriek, zodat je op haar moest passen terwijl er betere dingen waren te doen. Voetballen, aan radio's knutselen. Toen je op een zaterdagmiddag ging vissen aan de IJsselmeerdijk mocht zus in de buurt bloemen plukken. Op een onbewaakt moment klonk er een getoeter op en een klap aan de wegkant. Oh, Jezus! Aangereden door een motorfiets, lag het wicht met een gapende kniewond te kermen op het asfalt…

Een geritsel in de jucastruiken deed me met een kreun opkijken uit nare herinneringen. In de maankrans aan de rivierkant tekende zich het silhouet van een rank mens af. *Guess who*. Ik vloog overeind en liep haar in het donker buiten de lichtkring van de lodge-lamp stom van blijdschap tegemoet. 'Toedeloe, masra.' Het bleek een militair te zijn, die kennelijk in opdracht een oogje in het zeil hield.

'Sorry, korporaal… ik dacht dat 't de vermiste was.'

Hij knipte zijn zaklantaarn op, en bescheen me even. Zei bars dat ik me morgenochtend bij de kampcommandant moest melden. Als een schaduw verdween hij in de alang-alang.

De hoop op een wonder nam elk uur verder af. In de rimboe kwamen de nachtdieren tot leven. Boven het 'concert' van piepen, krijsen en gekrekel klonk soms een zware brul uit. Die van een panter of van een brulkikker? Toen de kalongs waren uitgevlogen, viel er van alles in de omgeving te horen, behalve de ijle hulpkreten van een verdwaalde dame. Zo groen het overdag was, zo donker was het hier bij avond. Tussen zwarte vingerplanten zweefden de vonken van vuurvliegen rond.

Handenwringend zat ik te wachten maar alles wat er te doen viel, was een olielamp aan een paal bij de lodge ophangen. Dit lichtbaken trok alleen maar kleine gevleugelde wezens aan, van uiltjes tot kevers en nachtvlinders. Op het laatst voerde het gezoem van legers muskieten de boventoon.

Goed dat Lucile de raad opgevolgd had om haar juwelen af te leggen en achter te laten in haar hoofdkussen. *Safe*. Alhoewel, nu zat ik ermee opgescheept. Als ze verongelukt was – afkloppen – dan zou het in bezit hebben een extra verdenking opwerpen. Beroofd van haar kostbaarheden en in de kali gedumpt! Een mogelijk moordplan. Toch ging ik maar met mijn hoofd op dat kussen op haar brits liggen, want als het spul gegapt werd dan waren we nog verder van huis.

Bij de thuiskomst van de Hernhutters hield ik me slapende. Geen zuiver geweten. Een man die onvoorzichtig met een fee was omgesprongen, kon alleen bij de duivel te biecht. Alhoewel, zijn feeën niet onsterflijk? In het *nada* van de nacht liggen te puzzelen en malen.

In nare overpeinzingen doemde met een snik het sproetengezicht van Sijtje op. Die was ook weleens weg. Haar geestelijke afwezigheid liep licht uit op een verdwijning. Dan moest grote broer haar gaan zoeken. Zo leerde je je te verplaatsen in haar denkwereld, voor zover volgbaar, en op het laatst raakte je er getraind in om zuslief van onlogische plekken terug te halen. Maar ja, Lucile Maghales was een geval apart. Als een vrouw van dertig liep ze dartel en onbevangen in Toemakhoemak rond als Alice in Wonderland.

De kampcommandant scheen argwaan te koesteren. Ik wist vrijwel niets over mijn reisgezellin te vermelden – alsof er iets werd achtergehouden. Had zij in Paramaribo niet zelf toenadering gezocht? Ik had de schijn tegen, ja, maar had kapitein Ombre geen mensenkennis? Hij zou met één blik moeten zien dat hij met een gentleman te doen had.

Ja, tot voorheen waande Herman zich een redelijk goed mens. Als leerling-machinist wel eens een grietje op de kade laten staan, maar door schade en schande op rechte koers gekomen. In de wereld van de zeevaart moeten leren schipperen. Aan boord van schepen waar de kok hoger gewaardeerd werd dan de 'meester', moest je het principe van goedertierenheid wel loslaten. In roerige wateren een brulboei geworden. Zelfs Loes had al bedenkingen: bazig, bot en een sombere levensvisie. Zoals het ernaar uitzag, zou dit reisje het allemaal nog verergeren.

Na een doorwaakte nacht bij dageraad opgestaan om de oever af te speuren. Geen spoor van de vermiste. Op geroep volgde slechts de echo van een toekan. De Hulvigs zaten gelaten aan een ontbijt van muesli. Na een kroes koffie kwam er wat fut in. Mevrouw depte de muggenbeten op je polsen en enkels met alcohol. *Danke schön,* maar eigenlijk was de jeuk beter. Die schrijnde zo dat je amper aan Lucile kon denken. Nu het afnam, moest het debâcle in volle intensiteit onder ogen worden gezien.

Wat vond zij ervan dat madame Maghales de 'wilden' wilde behoeden voor kerstening? *O, des Menschen Wille ist sein Himmelreich.* Frau Hulvig bleef aardig, maar de dominee liet zich ontvallen dat ze niet verlegen zaten om zo'n atheïstische gezellin. Was je soms een journalist of een geheim agent? Geen van beiden. Misschien de Europeaan in het Corona Hotel wel, maar die scheen afgeschrikt te zijn door mijn onverwachte deelname aan deze toer. Het was aan de verwikkelingen in Quamal te wijten dat ik alles en iedereen zo scherp observeerde – dit was de zendelingen opgevallen.

Ik verklaarde slechts een rechercheur op het gebied van scheepstechniek te zijn. Ten bewijze stelde ik de motor van hun korjaal even af. Er zat pitriet in de benzineleiding! Als ze in het oerwoud panne kregen dan was er een gerede kans dat ook zij vermist raakten.

Om halfnegen meldde ik me bij het kampkantoortje. De korporaal stond waakzaam op post. Kapitein Ombre ontving me zorgelijk achter zijn bureau. 'Nog geen nieuws over de vermiste, Schut.' Hij had een opsporingsbericht naar dorpen in de buurt verstuurd, maar hij vreesde dat haar kansen op redding met het uur afnamen. Als er een toerist in Quamal was verdwenen dan raakte hij zelf ook in de nesten. Op het ministerie van toerisme, zo liet hij doorschemeren, bestonden er plannen om hier een *eco-resort* van te maken.

'Het spijt me, kapitein, ik kan er ook niks aan doen.'

'Nee?' Hij keek me strak aan. 'Inmiddels weet ik wie u bent.'

Gewichtig zette hij zijn bril op om een radiobericht in steno voor te lezen. 'Geboren op Urk, zeevaartschool, opleiding tot hoofdboordwerktuigkundige in Delft, daarna bij de mariniers en als kadet uitgezonden naar Suriname…' Hij lichtte zijn bril op en fronste zijn wenkbrauwen. O, wat dan nog – gegevens die je zelf aan de ambassade had verstrekt voor een werkvergunning.

'Toen was ik hier als een dienstplichtige op oefening, chef.'

'Hm, toevallig wel in de Bouterse-periode.'

'Wij hadden orders om neutraal te blijven in het binnenlandse conflict.'

'Maar goed, u geeft toe dat u een training bij de zwarte baretten hebt gevolgd… nou, dan had u mevrouw Maghales toch wel op het droge moeten kunnen brengen?' Hij trommelde met zijn vingers op het bureaublad. 'Zolang ze vermist wordt, blijft u ter beschikking van het plaatselijke gezag.'

Ik liet hem de opdracht weten: een Libisch schip met averij in de haven van Paramaribo vlot helpen. Daar keek hij van op. 'U schijnt er geen haast bij te hebben!' Nee, omdat de levering van onderdelen werd vertraagd door stempels van spookambtenaren. Ombre kuchte eens. Aan het eind van de droge moesson leek in Suriname alles ingedommeld, behalve de inlichtingendienst. Voorlopig mocht je het land niet uit.

In de loop van de ochtend klopte piloot Roy bij de lodge aan. Over een uur zou er kerosine aangevoerd worden, en we konden afreizen. Een gelukje bij een ongeluk. Toch viel het me zwaar om dit oord te verlaten zonder een levensteken van de Waalse avonturierster. Haar boek over sjamaanse magie stak ik maar op zak. Een gebed tot onze Lieve Heer leek in dit geval beter. Als de plicht niet geroepen had, ach, dan was ik hier wel gebleven om het resultaat van het zoeken af te wachten.

Wat met haar juwelen te doen? Goed om ze uit het kussen te halen en in bewaring te nemen of, in het ergste geval, bij haar familie af te leveren. Dit rampzalige bezoek aan de grenspost moest een beetje behoorlijk worden afgerond. Met een verkild hart toog ik op weg om me af te melden bij de kampleiding.

Op het pad naar de barakken dook Ramon Bonito op. *Quo vadis?* De gids zei de vermissing van de Belgische te betreuren maar omdat hij in dienst van de Zwitsers stond, niet van haar, liet hij de zaak aan de autoriteiten over.

'Hé, Ramon, kan men me vasthouden om te getuigen?'

Met een grijns waarin een gouden tand blonk, tikte hij op zijn kijkerfoedraal. 'Laat dat maar aan mij over… ze is in de *rio* gedumpt hè.' Of was een andere lezing van het ongeluk je misschien liever? Er kon honderdvijftig dollar af. Ramon ging met een tongklikje akkoord. Het was verstandig om de juwelen af te geven aan de kampcommandant. Goodwill. Zonder geritsel zou je in deze uithoek van Zuid-Amerika niet ver komen.

In het kampkantoortje was op dit uur niemand, alleen een papegaai aan een ketting. Misschien was de kapitein op zoektocht. Op zijn rommelige bureau lag het gastenboek. Aangezien ik gister al had zullen vertrekken, stond mijn naam er niet in vermeld. Wel die van de Belgische, maar met potlood, uitgumbaar… 'Schobbejak!' snerpte een scherp stemmetje op.

Het leek alsof Coco gedachten kon lezen.

Tussen paperassen op het bureau lag het journaal van Lucile Maghales. Belastend materiaal? Toen ik het cahier wilde inzien, klonken er voetstappen op, en een schaduw-val in het deurgat kondigde de komst van de kapitein aan. Nors monsterde hij me door zijn zonnebril. 'Nog stééds geen nieuws over de vermiste, Schut.' Om hem wat milder te stemmen, legde ik een handvol juwelen op tafel. Ombre bekeek de *blingbling* even, zag dat het een kapitaaltje was, en zette grote ogen op.

'Zo, zo... poging tot omkoperij?'

'Haar bijouterieën, chef, ik geef ze u in bewaring.'

Bij nader inzien verleende hij nu dan toch permissie tot vertrek, onder voorwaarde dat je een verblijfsadres in de hoofdstad opgaf. *Corona Hotel.* Op het verzoek of ik haar journaal mocht lezen, schoof hij het me na een korte aarzeling toe. Hij had haar notities al doorgenomen maar werd er niet veel wijzer van. Stilzwijgend schudden we elkaar de hand op hoop van zegen.

Om een goede indruk achter te laten, nam ik ook even af-scheid van het predikantenpaar. Mocht Lucile nog opdagen, hopelijk, dan moesten ze haar namens mij op het hart druk-ken dat ze contact opnam. De zendelingen viel niets te ver-wijten. Ondanks hun koelhartigheid waren het brave lieden, bereid om in navolging van dokter Schweitzer de arme wil-den in het woud uit het slop te halen. *Grüss Gott.* Als geeste-lijken in het grensgebied konden ze op ieders respect reke-nen, zelfs dat van desperado's, zolang ze maar niet onder de duiven van de Jezuïetenpaters in Brazilië schoten.

Bij de poort van het kamp stonden twee heren te smoe-zen, gids Ramon en een lange, kale Europeaan in kaki-shorts en rijglaarzen. De laatste met een landkaart, waarop hij met tikjes met een passer wat aanwees. Niet in de stemming, besloot ik geen kennis te maken. Via de bosrand zocht ik de piloot van Swift Air bij de airstrip op. 'Alles kits?' Zodra

46

Roy het toestel bijgetankt had, konden we opstijgen. Lege seats in de Cessna werden door Indio's opgevuld met sisal, slangenleer, wilde papaja's en een mand met bang piepende zangvogeltjes.

Hij die aangeduid werd met 'de Hollander' stond in haar journaal zo beschreven: *Een gezette globetrotter met rosse snor die cynische wisecracks debiteert, par exemple: 'De jungle, mevrouwtje, dat is iets waar men hóóg overheen moet vliegen'; met boude beweringen tracht monsieur me te weerhouden van m'n missie in Wajanaland.* Hier repte ze van een 'figure du père', daar van plompe charmeur, elders het type van de *Sécurité.* Nergens het uitgesproken vermoeden dat je haar, waarom dan ook, zou moeten uitschakelen.

Ze ervoer het niet als een verrassing dat onze wegen kruisten in een uithoek van de wereld. (...) *Zoals voorspeld door de Tarot, word ik midden in alle verwarring, twijfels & onzekerheden als een 'Deus ex machina' benaderd door een blondharige begeleider...* In feite ging het initiatief van haar uit! Dacht ze soms dat je een oogje op haar had? Verderop in een losse context de term 'predestinatie' alsof haar reis uitgestippeld werd door de voorzienigheid.

> (...) *Ik vrees dat ik wat te haastig gehoor heb gegeven aan de lokroep van El Dorado; bovendien ben ik nog overstuur door het conflict over de erfenis met frère Michaël, die mij een 'filantropische obsessie' verwijt; wie op zoek gaat naar spiritueel goud, die houdt men in onze familie van Joodse kunsthandelaars voor abnormaal.*

Uit het schrift werd niet duidelijk of ze van tevoren van de zendelingen afwist. (...) *Op hun vraag met welk doel ik ga, o.m. een case-study van Indiaanse gebarentaal, suggereert pastor*

H. dat ik in zo'n milieu niet veel meer dan obscene gebaren zou kunnen opsteken; van de naturellen hebben zij geen hoge dunk. Er werd gerept van strijd om de zielen. Niets over haar gevoelens voor de Hollander, alsof ze de aard van deze relatie niet aan het papier durfde toe te vertrouwen. Was er een andere man? Bij lezing werd één ding duidelijk: haar missie had meer om het lijf dan een bezoek aan bosbewoners rond de evenaar.

Stel dat in Suriname, waar de hoop gevestigd was op het toerisme, een Europese in een wildresort was bezweken. Zou stof doen opwaaien! Als zij op de klippen van een *soela* werd gespoeld dan was er sprake van een natuurlijke dood. Dat wat de Zwitsers hadden geopperd: kannibalen – och, bangmakerij. Hun zending had morele steun nodig. Het beste voor iedereen was dat deze verdwijning geen ruchtbaarheid kreeg. Officieel werd er nog niemand vermist, de twee etmalen speling waren nog niet om.

Niet alle hoop was vervlogen.

In de schaduw achter de acacia bij de airstrip stil zitten wachten tot de Cessna was bijgetankt. Captain Roy maande de Indiaanse helpers tot spoed. Hij liet niet blijken dat hij van de vermissing had gehoord. Hij dacht dat de schrijfgrage Waalse voor een krant werkte. Toen hij vernam dat ze 'slechts' een dagboek bijhield, snoof hij bedenkelijk. Wie zich gedroeg als een *journalista* die werd ook zo bejegend! Als ze nou eens op een coke-lab in de jungle stuitte, zou ze dit dan voor de curiositeit noteren? Tja. Hopelijk zagen ongeletterde smokkelaars het verschil tussen een als toerist geklede 'persmuskiet' en een dame die zomaar wat opschreef.

Gedwongen door een gespannen blaas, schuivelde ik naar de bosrand om te plassen. Luisterde naar onweer of mijnexplosies achter de bergen. 'Auw!' Een horzelsteek in de ontblote eikel deed me even brullen. Daarop traden er drie figuren uit de schemer van oerwoud. Het trio Indio's met de zwarte baretten.

Toen je met een vinger aan de pet wilde passeren, stapten ze naar voren. *Hola.* Een magere snaak met een ooglapje, de leider, hield me met een handgebaar staande. *Mister Samson, hè... you not stay with us?* Ik schudde van nee, en tikte eens op mijn horloge. Ze keken elkaar beteuterd aan. Als troost voor de sof rolde ik maar wat Samsonnetjes voor ze als afscheidsgeschenk. *Goodbye, folks.* Zwetend van de pijn waggelde ik in het felle zonlicht naar de airstrip.

Roy stond klaar bij zijn toestel. *Guerrillero's*, lispelde hij. Het trio droop af en verdween in de rimboe. Misschien hielden ze mij voor de passagier die in Paramaribo verstek liet gaan, de oorspronkelijke vierde. In wiens plaats was ik hier eigenlijk heen gevlogen? Roy keek in zijn logboek: 'mr. Samson' doorgekrast en 'mr. Schut' van gemaakt. Volgens hem was de eerste een soort speurneus.

De piloot wierp wat snoep naar toekijkende indiaantjes, en beduidde hen van de strip af te gaan. Volgens hem hoopten die paupers nog steeds op buitenlandse steun. De kolonialen hadden hun indertijd autonomie beloofd! Tja, ik vertegenwoordigde onze regering niet – Nederland had hier trouwens allang geen zeggenschap meer. Of je dan geen *sisser* was. Hoezo? Roy wees op het embleem van de firmapet: S.I.S. In deze regionen de afkorting voor 'Sipaliwini Indian Society', een hulpfonds. Pfff. De jongens die op ping-ping gerekend hadden, kregen een shaggy toegestopt... zij waren nu geen vrienden meer.

Over initialen gesproken, Roy kon als een afro-Amerikaan werkzaam in Suriname wel eens wat met de CIA hebben.

Op dit terrein stonden burgers onder bescherming van het leger, verderop heerste wetteloosheid. Op de hellingen van het Grensgebergte, waar zelden een westerling doordrong, heerste de oertijd nog. Alles draaide er om voedsel, leefruimte en seks. Had dit ruige hof Lucile als een vlinder aangelokt met de geur van curare-bloesem? Ach, ga haar nou niet dood denken! Misschien was ze voorbij de waterval gewoon aan de oever van de Alama-rivier gespoeld, licht als een blaadje, en was ze daar in haar knollentuin.

Het werd een afvaart zonder saluut. Liever was ik in Quamal gebleven om mee te zoeken. Was er een lijndienst geweest dan had het verlof nog wat gerekt kunnen worden, maar in die outpost kwam slechts een enkele keer een vliegtuigje. Andere manieren van reizen waren erg moeilijk.

Viel captain Roy wel te verttrouwen? Die showbink had een Amerikaans air – hij wilde de baas spelen. *Amazone-experience.* Je had zó een aantal aanmerkingen op de staat van zijn machine kunnen maken. Zwijgen was het parool. Als je geen verlammende pijn in je 'pino' had geleden, een souvenir uit het rijk der tapirhorzels, dan had je hem wel uitgehoord. 'Mister Samson' scheen er halverwege zijn doel al uitgerangeerd te zijn. Of had men eigenlijk mij, die van toeten noch blazen wist, uit het spel willen halen?

Op dit uur werd de hitte zinderend.

Ver van huis en haard bleef alleen God als vriend over. De enige die wist wat er werkelijk gebeurd was, en zeker een mild oordeel zou vellen. 'Vaar op de Here,' zei pa altijd, 'maar let wel op de bakens.' Een korte inspectie van de veiligheid aan boord leerde dat er één parachute in de cabine was. Als de piloot kwaad wilde dan kon hij zijn kist met de passagier rustig laten neerstorten, hè, en zelf aan zijn valscherm neerdalen. Gewoon een ongeluk. In de nevelwouden van Zuid-Sipaliwini zou er geen haan naar kraaien.

Onder gepiep uit de vogeltjesmand tussen de vracht stegen we bij elven op. De Cessna scheerde over de bomen. Om hoogte te winnen draaide de piloot een rondje. Op de steiger aan de rivier stonden de Zwitsers met die andere witte, volgens Roy een mijnbouwbaas. *Monkey-business, sir.* Als de Indio's eenmaal christelijk waren, wel, dan zouden ze niet langer als wildemannen om hun grond vechten.

'Hmhm.'

Ik liet me geen politieke uitspraken ontlokken. Neutraliteit was het handelsmerk van de S.I.S. Jammer dat het afvallen van een indianenhoedster de weg zou banen voor het claimen van het gebied. Wie zo iemand aan een zoet lijntje wist uit te schakelen, die had wel wat verdiend. Vandaar dat men me vrij liet gaan? Ik kreeg het nare gevoel dat ik hen – maar wie precies – tegen wil en dank in de kaart gespeeld had. Toen de grenspost uit het zicht verdween, bleef mijn ziel daar achter.

Roy noemde het bergdal rond Quamal het 'Anacondaland'. Wie er een noodlanding moest maken die kon net zo goed te pletter vallen. *The jungle is óne big monster, sir, with many claws and jaws.* Onder de gordel geraakt, kon ik ervan meepraten. Daar beneden werd elk puntje onbedekte huid belaagd! In Toemoekhoemak zou een naakte 'dame blanche' opgelikt worden door een legioen hongerige wezens van groot tot klein.

Achter de kartelrand van het gebergte rees de zwarte pluim van een bosbrand op. Boven een ravijn maakte de piloot een duikvlucht om terloops het wrak van een ander vliegtuigje te bekijken. Volgens hem dat van drugsbaronnen uit Venezuela.

Roy scheerde laag over de plek des onheils heen. Bij het optrekken om een rotswand te ontwijken, ging de vracht schuiven. Kokosnoten rolden over de vloer van de cabine, het deksel van de mand met vogeltjes knapte open. Ontsnapt, fladderden ze panisch door de cockpit. De piloot sloeg zich voor zijn kop. *Ooow, now I get crazy*. De passagier zag zich genoopt om de dieren stuk voor stuk te vangen. Eentje raakte als een prop in de *airpipe* vast… luchttoevoer verstopt.

Noodtoestand! In die situatie was het behelpen. Bij gebrek aan beter materiaal draaide ik de slang van een hoogtemasker af. Fluks een hulpleiding gefikst en die met elektrasnoer aan het rooster van de toevoerbuis getaped, als noodinlaat. Na wat ploffen, gezwabber en enige benauwdheid ging het luchtsysteem weer suizen.

Ah, bromde Roy opgelucht, *you're an engineer.*

Toen alle 'kanaries' terug waren in hun mand en die stevig was afgesloten, sjorde ik de vracht aan met paalsteken. Maar goed ook. Boven het gloeiende, onafzienbare district Brokopondo kwam de Cessna in termiek terecht. In turbulenties die het toestel soms deden tollen en kraken, zakten we weg in het luchtledige. Met moeite wist Roy de macht over de stuurknuppel te houden. *Sorry, sir, air-spirits.* Wat, zaten de geesten ons tegen? Hij hoorde zijn passagier niet klagen zolang er maar gestaag luchtmijlen werden gemaakt.

'Hé, *loekoe*, daar is de vierde!' Met die woorden werd je op het vliegveld Zorg & Hoop ontvangen door een drietal Creolen met panamahoeden. Was er soms een vierde man nodig voor een partijtje pandoer? Hun gezichten stonden allerminst naar speelzin. 'Mister Samson hè.' Van nee schudden hielp niet. Een van de heren toonde een penning en ze maakten zich bekend als rechercheurs. Meekomen! In de hete namiddag in een grijze auto naar het bureau van de vreemdelingendienst aan de Waterkant. Een schemerig, houten gebouw uit de koloniale tijd.

Door het tralievenster van een grauwe cel uitzicht op de rivierhaven. De *Tripoli II* was nog niet verhaald naar het dok. Op de binnenplaats riep iemand in Suri-Nederlands: 'Shit, wat is dit voor een bananenrepubliek!' Na een kwartier wachten werd ik opgehaald. De chef van dienst, een gezette Hindoestaan, zat met gekruiste armen achter zijn bureau. Monsterend zette hij zijn bril op. 'Adjudant Garsing,' zo stelde hij zich voor, en wees met zijn vulpen op een krukje.

'Goedendag, Herman Schut.' De chef knipperde met zijn ogen en keek verbaasd op. 'Wat, is dat uw ware naam?'

Het paspoort getoond. De foto, visum, *work permit*, alles klopte. Garsing bolde zijn wangen en gaf de pas met een zucht terug. Wat hij niet te zien kreeg, was Luciles journaal onder je shirt. Er werd niets over haar gevraagd. Wist men in Paramaribo nog niet dat er een toerist foetsie was in een verre uithoek des lands? We hielden ons van den domme. Toen de papieren oké waren bevonden, mocht je gaan.

Blijkbaar moest men buitenlanders zacht aanpakken met het oog op toeristendeviezen. Ik had mijn best gedaan. Helaas had Lucile zich niet laten overreden om terug te keren naar de civilisatie. Alleen het journaal kunnen redden, plus haar gids in het geestenrijk op pocketformaat. In de broeisfeer was *Magie du Shamane* in mijn borstzak klam geworden van het zweet.

Halverwege naar het hotel een rustpauze op een bank onder de palmen bij de ferries naar Commowijne. Triest bladerde ik die mystiek in. Zat naar het omslag te staren. Een zwarte en een witte slang in innige omstrengeling. *Celui qui controle cet art d'extase*, aldus de flaptekst, *peut dépasser les frontières matérielles.* De adepten zouden buiten de grenzen van het stoffelijke kunnen gaan. *Une certaine invulnérabilité…* iets als onkwetsbaarheid?

Het was te hopen voor haar, maar ja, ook de doden zijn onkwetsbaar.

Sneki, siste een voorbijganger.

In een land waar een slangenbeet niet zeldzaam was, werden liefhebbers van slangen met argwaan bezien. Nogal wiedes. Het boek dus maar aan de voorkant in mijn jeans geschoven, shirt er los overheen. SIS-pet af. Als een toerist ging je op in de gonzende drukte van de markthallen.

Een blikje cola en een portie *krau krau* uit 't vuistje. Ondanks een verkrampte maag moest er verder worden gespeurd. Vanuit het district Para viel het achterland telegrafisch te bestrijken. In de schemer tussen stalletjes met lekkernijen, vol warmte en gezelligheid, waren al mijn gedachten bij de vermiste. Hoe zekerheid over haar lot te krijgen?

Voorlopig was het zaak om op vrije voeten te blijven. Toen ik me uit de drukte wilde wringen om bij SureTel contact met de grenspost op te nemen, zwaaide er een arm uit de drom mensen en ik werd in mijn buik gestoken. *Tik*. Het ging te vlug om te zien wie het flikte, maar de schim had pech gehad. Het scherpstaal was op de kaft van haar boek gestuit… Met een ruk trok je het eruit en liep tot verbazing van omstanders zonder een kik door, zij het loens van de schrik. Die dolk met een jaguarkop op het heft riekte naar inlands verzet.

Iemand scheen boos te zijn omdat madame Maghales in het zuiden was afgeleverd, of omdat ze daar achtergelaten werd. Eén van beide. In elk geval redde haar boek me op een wonderlijke wijze het leven. De magiegids had als schild gediend! Een reden om iets milder over het sjamanisme te denken, ook al liet een christenmens zich voor geen prijs in met occulte zaken.

De portier van *Corona Hotel* herkende de verfomfaaide heer Schut niet zo direct. Aan de boemel geweest? Slap in het kruis, hing je over de balie om het boek en journaal in een plasticzak af te geven voor de kluis. De receptionist toonde een fax van de Havendienst. De onderdelen uit Cuba zouden morgen beschikbaar zijn voor de technische dienst.

'Sir, wanneer komt de Belgische dame terug?'

Ik hief mijn handen op in onschuld. 'Mevrouw is zoek, uhhh, ik bedoel óp zoek naar de laatste Mohicanen… terugkeer onzeker.' Hij kuchte eens en zette een vraagteken achter haar naam in de gastenlijst.

Op de kamer bekeek ik de plek van die horzelsteek, of wat het ook was. De eikel was zo dik als een pruim – souvenir uit Toemoekhoemak. Daar snorden gevleugelde gifnaaldjes door de lucht rond.

Het retourticket naar Quamal met datum en paraaf van de SA-piloot, wat ermee te doen. Een bewijsstuk ten voordele of ten laste? Mr. Samson was doorgekrast en vervangen door *Scud* in plaats van Schut – het deed denken aan de levering van raketten. Verbranden! Die stille getuige ging in rook op. De herinnering aan de vliegreis met Lucile Maghales kon alleen uitgewist worden door de dood. *Mea culpa.* Op het uur dat ik in bed kroop in een luxe hotel, veilig achter horgaas, vlogen er vampiers uit onder de sterren van Amazonië.

De volgende morgen werd het tijd voor actie. Een poging om contact op te nemen met haar familie in Brussel moest worden uitgesteld door een staking bij TeleSur. Wel kwam er een ruisende telefoonverbinding met Urk tot stand. Daar was het zondagochtend, wanneer Loes gewoonlijk bij haar ouders was. Broertje Kees nam op. 'Hé, ome Herman…' Tegen het kerkuur was zijn zuster uithuizig, meer wist hij niet. Om geen paniek te zaaien, zei je maar hier alles op rolletjes liep. Had Loes haar geloof laten varen? Ze moest eens weten dat je 'huwelijksgereedschap' zowat op ploffen stond na een 'pikant' verhaal uit de avonturen van Sindbad de zeeman.

Wel een opluchting om de wal de rug toe te kunnen keren.

In de Nieuwe Haven leidde een *slow down*-actie tot een berg van containers. Bij de poort een barricade van trucks. De *Tripoli II* lag voor het dok maar er nog niet in – zolang mocht er niemand aan boord. Waarom niet? De ene beambte verwees je naar de andere totdat je weer bij de eerste terechtkwam, die daar raar van opkeek. Een douanier ging gezapig na of het schema van een Kromhout dieselturbine wel patent had buiten Europa. Zeker uit solidariteit met de 'koelies' die op de kade zaten te mokken in afwachting van achterstallig loon.

Via de portofoon eindelijk contact met kapitein Muhamar. *Master Schoet?* Gekraak in de microfoon. *Where have you been?*

De faxprint van 'Inter Seafare Safety' werd nog beoordeeld. Het kruis van Arabische zeelui, die overal extra screening wacht. Zelfs in een vrijstaat als Suriname stuitten ze op argwaan bij de autoriteiten. De Libiër was op weg naar Caracas binnengelopen met averij – volgens het internationale zeerecht mocht de schuit dan direct aanmeren. *What is the matter with this country?* Tja, de Hollanders hadden hier een zooitje achtergelaten. Hoe dan ook, nu geen gelegenheid om de defecte motor te checken. Er kon nog geen werkplan opgemaakt worden.

Take it easy, skipper.

Nog maar een dagje walverlof. Geduld en deemoed in plaats van foeteren op de stroperige bureaucratie. Nu je te laat voor de ondertrouw op Urk zou komen, sloop er het nodige fatalisme in om de dingen gelaten te ondergaan. In dit deel van Zuid-Amerika onontbeerlijk. Het verlies van Lucile maakte alle soesa in loodsen met rubber, wachtketen en benauwde burelen aan de haven onbeduidend.

In het hotel was ik na het vertrek van de Waalse de enige witte. Onder het personeel werd gesmiespeld om mijn SIS-pet. De Indio-kelner bleef de drankjes stug op conto van 'mr. Samson' schrijven. Toen ik hem erop aansprak om persoonsverwisseling te voorkomen, kwam de aap uit de mouw. Gemakshalve noemde hij me zo om mijn shagmerk... een barkeepersnaampje. Chako kreeg *Sf* 5.000 om er Schut van te maken. Hij knipperde even met zijn gitzwarte ogen en streek het geld stil op. Misschien toch wat weinig – de devaluatie van de Surinaamse gulden ging te snel om het koersverval te kunnen volgen.

De echte Samson vertoonde zich niet meer in het hotel.
Een dreigende staking van bootwerkers werd in overleg met de regering uitgesteld. Eerst moest de import-exportbalans hersteld. 's Maandaags kon de klus alvast worden voorbereid. Toen er schot in kwam, leefde ik op. In plaats van te dubben over het lot van Lucile zou het werk op het schip alle aandacht opeisen. Nu er aangepakt kon worden, leek er wat te doen aan het gevoel van innerlijke leegte.
Alleen nog last van een pijnlijk opgezwollen *pino*. In de jungle bij toeval een potentiemiddel ontdekt, sterker dan Viagra, maar hoe kwam je er vanaf? Loes had er wel raad mee geweten. In de ondoorzichtige rimboe was een zeerot van koers afgeraakt – in de jungle van tanks en installaties van de haven wees de weg zich vanzelf. Alleen gaf die 'paal' in je uniformbroek je op de keien van de kade een onvaste loop. Het

kwam hier op hanengedrag aan. Toch maar even naar de havenarts in het vroegere kantoor van de Koninklijke Pakketvaart Maatschappij.

In de wachtkamer zaten Caribische matrozen in een sfeer van verval. 'Parbo' zou nooit uitgroeien tot een *mainport*. Andere bronnen van inkomsten zoals bauxiet en bananen haperden, de infrastructuur was blijven steken, maar juist die achterstand kon een voordeel worden nu natuurvakanties in zwang raakten. Ongerepte oerwouden. De staat kon op die trend inspelen door het welzijn van buitenlanders te waarborgen, en tol voor wildpaden innen, maar de vraag was of de inheemsen baat zouden hebben bij de goudmijn van het ecotoerisme. Er stonden grote belangen op het spel. Wie had iemand als ik, die het niet kon schelen, in de schemer van de markthal tot zwijgen willen brengen?

Die dolk nog eens bekeken.

De panterkop op het ivoren heft leek te glimlachen of te grauwen, al naar gelang de lichtval. Die aanslag kon wel eens bedoeld zijn als wraak voor het dumpen van de indianenactiviste uit Brussel. Misschien het werk van boze Tucayana's. Of anders wel dat van een huurling van de een of andere bosbouwmaatschappij. Slap voorover gezeten, peuterde ik met de punt wat junglestof onder mijn nagels uit, dof als restjes tinerts uit Toemoekhoemak.

Een éénogige mesties in een Shell-shirt keek belangstellend toe. *Human bone hè.* O, ja? Hij rook aan het heft, fronste zijn wenkbrauwen en knikte. Een akelig idee om een stuk mensenbot op zak te hebben.

Toen 'meester Schut' eindelijk werd opgeroepen, en de arts zag, zonk de moed hem in de schoenen. Een Chinese juffrouw in een dienstjurk en een hoornen bril op. In twijfel geraakt, gaf ik voorrang aan een hoesterige tremmer uit

Panama. Sloop laf weg. Eerst zelf maar eens proberen met perubalsem.

De *Tripoli II*, een 8000-tonner, lag nu gemeerd aan een steiger van de Atlantic-kade. Hoog op het water... dus al gelost. Arabieren in vaalrode overalls waren bezig om het dek en de romp schoon te spuiten. Op de brug keek hun baardige kapitein ongedurig uit naar de langverwachte techno-agent van de firma SIS.

Op de loopplank kon je al ruiken dat er wat fout was met deze schuit. Was de boel uitgezwaveld? Eerst maar eens bekeken of de werkomstandigheden safe waren. In het ruim hing een brandluchtje – men was er zwijgzaam over. Toen ik hun machinist wilde vragen of er op zee iets ontplofd was, bleek die onlangs gestorven te zijn. Nee, niet de lucht in gevlogen. Omdat de dode in heilige grond begraven moest worden, ging hij hier niet aan land. Het in zeildoek gewikkelde lijk, rechtop tussen victualiën in de vrieskamer drukte de stemming aan boord.

Of je even van hun zender gebruik mocht maken. 'Hierrr Quamal,' klonk een knetterstem op de bush-frequentie, die van kapitein Ombre. Al nieuws over de toeriste? Het weifelige antwoord: 'Nja, uhhh...' Hallo, hallo! Er leken donderslagen door het grensgebergte te rollen. Omdat de purser stond te luisteren bij de radiohut beëindigde je het gesprek met over en uit – een andere keer maar.

Op de drijvende schrijn heerste een rouwsfeer. De dood voer mee. Vandaar dat de havenmeester, beducht voor invoer van tyfus, niet scheutig was met zijn medewerking. De matrozen deden nogal stug, vermoedelijk wegens een spreekverbod. Gehandicapt door een stijve zonder enige lust, deed elke stap je pijn. De gangway stond vol lege vaten. Toen ik me langs de kok in de kombuisgang wrong, aangelokt door de geur van koffie, porde de 'paal' in mijn overal even in zijn buik. Nu was de boot aan! Ali dacht dat je hem een lekkere vent vond.

Beseften ze wel dat ze hier zonder een Kromhoutspecialist nooit wegkwamen? Ze waren afhankelijk van 'master Olland'. Nou, wat had die kruitlucht in het ruim te beduiden? Libië en Suriname hadden een militair verdrag, ja, maar ik moest weten of er onderdeks explosiegevaar was. De stuurman wilde maar één ding: weg zijn vóór het tornadoseizoen.

In dit opzicht konden we elkaar een hand geven.

In de machinekamer waren twee ketels zwart geblakerd. Onder een stoombuis lag een afgerukt labelplaatje met Aziatische tekst. Bevreemd stak ik het op zak. Na inspectie bleek het defect te schuilen in een ontzette turbinemantel, mogelijk veroorzaakt door een luchtdrukgolf. Zeeschade? Och, laten we het daar maar op houden. Hun subsidie van de 'Arabic Development Bank' stond op het spel. Als de Lloyds de reparatiekosten niet zou willen dekken dan ving ook onze firma bot.

Na het wegvallen van hun machinist lag de schuit op sterven. Alleen nog wat zwak geknetter. Na reparatie door matrozen was het elektracircuit net een gehavend zenuwgestel. Er ontbrak een krachtbron aan. Zolang de dynamo's leeg waren, moesten we ons behelpen met licht uit acetyleenlampen. Enfin, dit werd een vette klus. Een verademing om weer de geuren van messing en dieselolie in een machinekamer op te snuiven. Een plaats met systematiek. Na alle warboel in de rimboe, raakte je tussen de ketels weer enigszins in balans. Althans geestelijk. Die 'tent' in je overall, gepaard gaande met pijn en koorts, maakte het moeilijk om onder stoompijpen door te kruipen.

In de middagpauze toch maar eens even naar de havenarts.

Bleu klopte ik bij haar spreekkamer aan. Als die miss Tjong nu maar niet meende dat ze zo opwindend was. 'Dokter, ik heb last van m'n uhhh…' Toen het euvel haar getoond werd, floot ze tussen haar tanden. *Priapismus.* Aan zo'n zwelling van constante aard moest iets gedaan worden. Terwijl ik op de behandeltafel lijdzaam mijn jeans omlaag schoof, viel kletterend het labelplaatje uit het ruim op de vloer.

'Hé meneer, Chinese letters.'

'Oh, ja?'

Terwijl ze met ritselende handschoenen de nodige verrichtingen deed, repte miss Tjong tussen neus en lippen van munitie. Wat er ook aan de Atlantic Kade was gelost, er hing een kruitluchtje aan. *Au… pfffoew.* Ondanks een aderlating bleef de 'toli' zo hard als bloedworst. 'Nu maar afwachten of de spanning er uittrekt, meneer.' Een verband erom met een strikje: zestig dollar. Enfin, die informatie over de Chinese betrokkenheid telde ook.

Aan waardigheid ingeboet, durfde ik er terug aan boord van de Lybiër niet mee op de proppen te komen. De enige verzekering was blijven ademen. Hier gold het *no cure no pay*-principe. In maritieme kringen werd gefluisterd dat kolonel Gaddafi zijn wapenvoorraden elders stalde, maar goed, hij betaalde vriend en vijand in dollars met de glans van goudgele olie. Dat zat wel snor.

De crew van de *Tripoli II* bestond uit een stel brave jongens, die met een boogje om de blonde *kafir* heen liepen. Op de gladde trappen van het ketelruim was de samenwerking ver te zoeken! De officier van wacht sprak wat Engels, maar die deed alsof hij met een spion in overall te maken had. Alles even stroef! Als je met een vingerklikje om een bahco vroeg dan reikten ze je ijskoud een bos steeksleutels aan.

De hoofdmotor was op zee zeker *overheated* geraakt, hè?

De donkeyman knikte van ja, maar hij bleek op elke vraag te knikken. Zeker doof van een ontploffing. Na een paar dreunen tegen de verwrongen sluiting van de bunkertank, wilde de oudste weten hoe je dat zo gauw gefikst had. 'Met geweld neukt men een ezel, baba.' In plaats van het gezegde te vertalen, wees ik slechts op de gebruikte moker. Van alle geduvel kwam halverwege de middag een zenuwuitbarsting. Basta! De schipper keek op zijn neus. Hij zou wel merken dat er wegens de braindrain nog maar weinig hooggeschoolde technici in Suriname waren. *Shalom aleikim.* Ik smeet mijn ketelpak de mess in en zwalkte met een handzwaai de loopplank af.

De enige met wie ik nog een praatje maakte was de dokbaas, een gemoedelijke Creool. Het was hem niet ontgaan dat het Libische schip 'roeterig' was. Toen hij vernam dat de lading uit de Volksrepubliek kwam, klikte hij met zijn tong. 'De chino's hebben hier het wegennet al zowat in handen, man.' Ome Charley repte van het gele gevaar. Volgens hem werkten Chinese wegenbouwers in het rotsland wel eens met springstof. Ah, de vlag moest de lading dekken.

Toen ik in een havenkeet mijn gram had gestild met een fles bier sjokte ik nurks maar plichtsgetrouw terug naar de schuit. Weer niet goed. Nu niet alleen van de kletsklets, ook nog eens een drankadem!

Werken was de enige remedie om het malen te stillen. In de loop van de middag steeg het kwik op de brug tot 38 graden Celsius in de schaduw. Het noodaggregaat draaide op volle toeren om de vrieskamer koel te houden. Zou het lijk van de vorige machinist zijn ontdooid, nou, dan was de atmosfeer aan boord niet meer te harden geweest. Het herstel van de 'zeeschade' werd evengoed een heidens karwei.

De ventilatieroosters waren misschien de zee in geblazen. Het complex van kabels in de scheepsbuik leek wel een slangenkuil – aanwijzingen in arabesken. Nerveuze maagkramp werd nog verergerd door de 'mokka' uit Ali's koffiekan. In dit stalen knekelhuis knierpte elke deur. Onderdeks was het te benauwd om een helm te dragen. In de pantry de hele dag radio *Al-Jazeera*. En almaar de in je slapen kloppende vraag wat er met Lucile Maghales was gebeurd.

Raad eens wie er op een scooter tussen werfvolk bij de steiger van Shipyard Docks wachtte. De adjudant van de vreemdelingendienst. Garsing. Omdat hem alles al verteld was, op privézaken na, nam ik maar de volgende pont. Een priaap kon niet met goed fatsoen voor de dag komen. Anders had je het hogerop gezocht, en desnoods Desi Bouterse in de arm genomen om de toeriste te laten opsporen.

Toen ik 's avonds uitgeteld in Corona op bed lag, ging de telefoon intercontinentaal. Vader, waarom je niets van je liet horen. Tot zijn spijt had ook hij slecht nieuws: Loes was gearmd met een dandy in Zwolle gezien. Nee toch? Zelfs nog erger: 'Volgens de postbode schijnt ze daar ook weleens te slapen… 't is maar dat je 't weet, zeun.' Moeder had meer dan eens gezegd dat Loes geen standvastige vrouw zou zijn, ach, had maar naar haar geluisterd.

Aangeslagen zakte ik af naar de hotelbar. Het viertal Chinese gasten schoof erbij in de lift. Misschien wegenbouwbazen. Zouden de heren wel eens om *páng-páng* verlegen zitten? Evenals ik waren ze ietwat buikig, zodat de liftkooi overvol raakte en bij de begane grond een meter doorschoof naar de kelder. Toen we vastzaten, wilden de heren er beteuterd uit klimmen. Ho eens. Je klikte het paneeltje even los en liet de kooi omhoog zoemen tot vloerhoogte.

Aà, zei de oudste grimlachend, *mistel James Bond, hè*.

Wisten ze dat ik wat wist? Ach, muizenissen. Misschien waren ze hier gewoon met vakantie. Aan de *Tropical Bar* zat je verzonken in zwaarmoedigheid. Nog niet rijp voor het huwelijk. Wat hadden koters aan een pa die zoop en rookte? De baal shag van thuis slonk gestaag – dit merk was hier niet verkrijgbaar. Het personeel werd al een beetje vertrouwd. Misschien zou de vervelende bijnaam 'mister Samson' veranderen als je overging op Javaanse Jongens.

Junglefiguren waaierden uit tot schimmen in de rivierdamp.

Barman Dias, een marron, heette in de wandeling 'Anansi'. De bosspin. Hij liet eens doorschemeren dat hij pro-Indiaans was. 'En u, sir?' Hij scheen er wat bij te snabbelen bij als informant. Toen ik hem de dolk met de panterkop toonde, werd Dias zwijgzaam. Ik zat naar mijn verlovingsring te staren. Afdoen en bewaren voor een andere bruid? Nu Loes ontrouw was gebleken, wilde ik geen blonde vrouw meer. Mijn gedachten gingen uit naar Lucile in het stroomgebied van de Rio Alama. De verloren zuster. Op haar hief ik het glas, in de hoop op een weerzien op aarde of in de hemel.

Er volgden lange, zware dagen in de machinekamer van de *Tripoli II*. De motoren waren hard aan revisie toe. Er was geen tijd om aan iets anders dan aan arbeid te denken. De verstandhouding met de crew verbeterde wat, nu ze inzagen dat je hun enige mogelijkheid was om het offerfeest thuis te vieren. 'Master Skoet' was nu eenmaal onontbeerlijk. Draaiend op mocca-koffie, was het buffelen van vroeg tot laat. 's Avonds zo moe dat je na een hapje 'pom met kouseband' in de eetzaal meteen ter kooi toog. In de krant *De Ware Tijd* alleen de koppen en de scheepstijdingen gelezen. Niets over een vermiste toeriste in het zuiden. Op de televisie veelal salsa-shows, op de radio vurige politieke debatten. Er broeide wat in de sloppen van Paramaribo.

Hier alles okay.
Een ansichtkaart van de zonnige vogeltjesmarkt.
Weet niog niet wanneer ik terugkom, maar in elk geval zo gauw mogelijk. Ik mis jullie! Veel liefs & de groeten uit de West.

Thuis hoefden ze niet te weten hoe de vlag erbij hing. Waarom familie en vrienden belasten met het feit dat je je in de nesten had gewerkt. De enige die van de toestand mocht weten, was reder Sybrand in Schiedam. Wegens pech ging de opdracht wat langer duren dan geraamd. 'Hè... alwéér?' Aan die kant van de telefoonlijn klonk een rauwe vloek op.

Hij mocht al blij zijn als zijn hoofdmachinist niet in een kist terugkwam. Die was al door de tropen aangetast op zijn teerste punt. Alle gevoel trok uit de opgezwollen eikel weg. Hoewel het lid hard bleef, verbleekte het paars van de kop, en het leek wel het begin van lijkstijfheid. Onbevorderlijk voor het inslapen, zulke gedachten.

Na de mislukte aanslag in de markthal moest je rekening houden met een volgende. Naar de politie gaan? Eerst maar eens afwachten hoe het met de ongelukkige Lucile was afgelopen. Geen nieuws, goed nieuws. Althans voor de Surinaamse reisbranche. Publiciteit rond een vermiste toeriste – mogelijk gekidnapt door rebellen – zou vakantiegangers uit Europa afschrikken. Een heet hangijzer.

Het was geraden om tussen de bedrijven door de nodige voorzorgsmaatregelen te treffen. Alvast een vluchtroute uitgestippeld: op een trawler via de Antillen-route. De ambassade kon er beter buiten blijven – wat te vertellen? Zolang er geen doodsbericht uit Quamal kwam, had het geen zin om de zaak in de openbaarheid te brengen.

Na een gedane dagtaak lag ik murw in bed, levend tussen hoop en vrees. Het getik van de wekker reeg de seconden monotoon aan elkaar tot minuten. Even weggedommeld. In een ijldroom liet je een vlieger op, waaraan Sijtje huilend boven het Keteldiep hing te bungelen… tríngg, telefoon.

'Hallo?'

De receptionist las een anoniem telegram voor: *Please get in touch with the Society.* Welk genootschap? Zeker niet de 'beau monde' van Paramaribo en omstreken.

Midden in koortsmijmeringen een klop op de kamerdeur. 'Wie daar!' Geen antwoord. Voorzichtig deed ik de deur half open. Op de gang stond Lucile Maghales in een soort judopak met lila franje.

Blij verrast, schoot ik mijn kamerjas en een paar slippers aan. 'Alsjemenou… jij?' De ogen in haar ingevallen gezicht met wat krassen stonden ietwat glazig. Stilzwijgend trachtte ze iets te verklaren met mimiek en handgebaartjes. Wellicht hadden de verschrikkingen van het hoogland haar van haar stem beroofd. Ze leek me verwijtend aan te staren. Wat, ze dacht toch niet dat ze expres in de stroomversnelling was geworpen?

Zo'n fijne weeuw kon je niet in je armen troosten zolang die loze erectie als een bufferstang tussen ons in stond. 'Wel, Lucie, zeg eens, hoe was het Indianenleven?' Bij wijze van respons gleed ze vreemd glimlachend uit haar omhulsel en dimde het licht van de schemerlamp. Met een biologerende blik in haar ogen duwde ze me achterover op het bed. Al verwilderd?

Soepel als een slangenvrouw kronkelde ze zich over me heen, sloeg haar benen om mijn nek en dempte gesnuif met haar liezen. Pluishaar smoorde me de mond. Een bloedstuwing deed die 'winterpeen' tintelen, hij raakte ontdooid, en onder zuigdruk gloeide de kop weer op. Het werk van een tovenares! Toen er cadans in het spel kwam, een dwangmatig element, werd de klemkracht van haar dijen zo sterk als de omhelzing van een anaconda. Bij elke hartbons één slag strakker. Klop, klop, klop, klop…

Nog stom van de benauwdheid deed ik in pyjama de kamerdeur open. Op de gang stond een witharige negerin met een mand. 'Goede avond, meneer Samson.' Zij had zoëven aangeklopt, of je soms wasgoed had. Niet noemenswaard. Alleen een herenslipje – ssst – nog lauw in het kruis van een natte droom.

'Nee, dank u wel, mevrouw, morgen maar hè.'

Duizelig zeeg ik in de rotanstoel naast het lege maar omgewoelde bed neer. Nee maar, wurgseks! Na een helse ontlading was de zwelling als bij toverslag geweken. De kwelling was overgegaan dankzij helend feeënspeeksel… Lucile was hier toch niet echt geweest? Hm, in de kamer hing wel een vage damesgeur. *Nuits de Paris.* Verwonderd viste ik met mijn pink een fijn krulhaartje van mijn lip af. Luisterde even naar een geruis als dat van vleugels. De balkondeur stond half open, het gordijn bewoog nog even na alsof er net iemand weg was gevlogen.

Had het kunnen gebeuren in een zinsbegoocheling, of was er wel degelijk sprake van een verschijning? In Suriname wordt het bestaan van geesten algemeen aangenomen. Goed nieuws voor de touristenbranche: 'In zekere zin ís die Belgische touriste er nog…' Als het al een geest was dan een nobele, die haar gedaanteverwisseling in een slang benutte om het euvel doelmatig aan te pakken. Een ware zuster van liefde.

Na het merkwaardige voorval was ik aan een borrel toe. Die 'droom' was zo realistisch, dat je bijna ging checken of madame Maghales weer had ingeboekt. Geen 'winterpeen' meer... Ho, ho, niet iets om de spot mee te drijven. Voor iemand die de invloed van het bovennatuurlijke aan den lijve had ervaren, waren eerbied en ontzag gepast.

'Psst, Sjako.'

Aan de Indio-kelner gevraagd wat een sjamaan nu eigenlijk was. Sjako sprak zachtjes van *puyai*, dromers, lieden met geheime kennis en de gave van geneeskracht. 'Zeg, jô, zouden ze ook wel kunnen vliegen?' Met geloken ogen knikte de jongen van ja. Het wierp geen licht op de zaak. Als Lucile zich door de lucht kon verplaatsen, waarom was ze dan per Cessna gereisd? Misschien om de zware 'ijsbeer' uit Urk aan een zoet lijntje mee te krijgen als oppasser. Tja. In deze affaire scheen het te draaien om het soortelijk gewicht en de wet van Pythagoras.

De feiten logen er niet om. Zeelui, getraind in de observatie van bakens en seinen, vergissen zich zelden in hun waarnemingen. Verlost van de pijn! Op de een of andere manier was ze in de kamer geweest. Misschien deed ze het als dank voor het wegbrengen. De vraag was nu of er sprake was van een doortastende dodenziel, of van een soort onsterfelijke medicijnvrouw. Het werd tijd om de stoute schoenen aan te trekken. Dit mysterie kon alleen maar ontsluierd worden door zelf de geestenwereld te betreden.

Een greep uit het ochtendnieuws op de radio: 'Afgronddiepe inflatie... demonstraties tegen armoede in de hoofdstad, een golf van ontslagen in de ambtenarensector... Nederland past... de kwestie van herstelbetalingen staat nog steeds op een laag pitje.' Jobstijdingen, verlucht door de warme stem van de omroepster. 'Binnenlands nieuws: een tekort aan rijst in Coroni… onrust in de haven… inheemsen in actie tegen goudwinning… in de Marowijne is het lijk van een toerist gevonden… weersverwachting: circa zesendertig graden Celsius aan de kust, aanhoudend droog.'

Een toerist verdronken. Ach, ach! Een blik op de kaart leert dat de Marowijne-rivier ontspringt in het Grensgebergte, het reisdoel van onze Waalse en de Zwitsers. Was het lijk van madame M. gevonden buiten de expeditieroute? Misschien was ze via de Alama de hoofdstroom afgezakt in een kano, of zoiets, maar haar reisdoel lag stroomopwaarts.

In het telefoonboek het nummer van Radio Moksi opgezocht. Of de omroepster vrij was. Na wat geruis en doorverbinden die warme, melodische stem: 'Joyce.' Met een vertegenwoordiger van S.I.S. 'Wat, de Sis?' Nee, een *shipping company*. Voor een kleine toelichting op het nieuws maakten we een lunchafspraak in de River Club.

Nu je van het ongemak was afgeholpen en het hoofd weer kon heffen, was het genoeglijk om een afspraak met de havenarts af te bellen. 'Wel, mevrouw, 't is al overgegaan.' Zomaar? Nu ja, dokter Tjong kreeg de eer van de genezing, om haar te vriend te houden in een land met onbekende vijanden.

Geheel naar de voorspelling werd het een hete dag tegen het einde van de droge tijd. Bloedwarm. Zeker in de machinekamer van een leeg vrachtschip in het dok. Tussen de middag liet ik mij in een taxi met open raampjes via de sloppen naar de villawijk Leonsberg aan een palmenlaan bij de riviermonding rijden. Slecht geslapen. Het wachten was op een volgend contact met Lucile, maar vannacht was ze niet 'op visite' gekomen – een veeg teken.

Op dit uur verbleven de gasten van motel *River Club* onder parasols aan de waterkant. In het schemerige restaurant zat alleen een duo van de USA-Navy in tropentenue aan een raamtafeltje. Vanuit de keuken klonk gamelan-muziek. Even later kwam het viertal Chinese heren uit het Corona Hotel binnen. Ze schenen je niet te herkennen met een scheepspet op en een zonnebril met spiegelende glazen.

'Mister Shipping, hè.'

Uit de schaduw van een overkapping dook een struise jongedame met een afrokapsel op. Joyce Kino. Aan een hoektafeltje bestelde ik twee glazen Cuba-libre en een schaal *pangsit* met pork. Ze keek me afwachtend aan. Ik wilde wat weten over die toerist, maar de autoriteiten hadden zijn personalia nog niet vrijgegeven. Ah, in elk geval een man, wat een opluchting!

'Sneu voor het toerisme hè, Joyce, zo'n verongelukte toerist.'

'Verongelukt?' Ze knipperde met haar parelogen. 'Voorzover ik weet alleen maar verdronken.' Dus een natuurlijke dood. Meewarig rolde ik een samsonnetje en vroeg haar als terloops: 'Zeg, Joyce, hoe heette het slachtoffer?'

'Niet bekend… alleen dat hij aangespoeld is in Albina.'

Ten slotte haalde ze, nu zelf ook benieuwd, haar mobieltje te voorschijn. Na een kort gesprek in het Sranantongo klikte ze het apparaat uit. Deed een vinger op haar lippen – de ober kwam met een dienblad. Er een rebus makend, tikte ze met haar lila gelakte vingernagel op mijn baaltje shag. Juist, ja. De vierde passagier voor Quamal. Mister Samson was uit het spel.

Als dank voor de informatie kreeg ze een briefje van 100 dollar als bijdrage voor de omroepstichting. Ze schoof het terug alsof ze haar vingers niet wilde branden. Glimlachend klopte ze op haar buik, leegde haar glas, stond op en zei knipogend: 'Ik ga nog even parelduiken… *hasta la vista*.' Bij de jachtsteiger gleed ze uit haar hansop, waaronder een gele bikini, fraai kleurend bij de goudbruine huid. Ik wilde haar nog naroepen: 'Ga liever niet zwemmen met 'n volle maag,' maar slikte het in. Zou het wat baten? Zo langzamerhand was je het zat om roekeloze dames te wijzen op gevaren aan de waterkant.

De volgende morgen dreef vanaf de oceaan een front van donkere wolken over de haven. Waaierpalmen aan de kade woeien krom in de wind. Na een flits in de lucht dreunde de eerste onweerslag boven de kust. De komst van de moesson! Stoffige wegen raakten vol plassen, op erven achter huizen schoot fris groen op. In de stad van steelbands en rumba-ballen kwam er een nieuw ritme bij: getikkel van regen op zinken daken. De ene warme douche na de andere. In de natte tijd zouden in het bovenland lieflijke beekjes aanzwellen tot woeste *bandjirs*.

Bij de reling in een oliepak over de baai starend, dacht ik bekommerd aan Lucile in de wildernis. Een vlinder in noodweer. In de machinekamer betrapte ik me geregeld op afwezigheid. In de stoom tussen ketels leek soms een dame in het wit rond te waren. Er vonkte eens een blote elektra-kabel – *klap*, kortsluiting. Het voordek onder stroom! Och, nu ja, 'master Olland' had geen haast. Loes zou niet meer wachten op Urk – waarom dan nog jachten en jagen? In de regentijd viel het in Paramaribo best uit te houden.

Hoewel de Waalse fee niet meer verscheen, bleef ze in mijn hoofd rondspoken. Een lief mens, ja, maar niet normaal. Onder haar nobele houding ging een zeker fanatisme schuil. Hoe fel hadden haar ogen geblikkerd toen ze de Hernhutters zieltjeswinnerij verweet, 'ter voorbereiding van exploitatie van het oerwoud.' Zij heiligde de natuur in plaats van de Schepper. Daar waar ideële verschillen werden beslecht met kogels, hoopte ze het pleit te winnen met een glimlach en een tuiltje orchideeën. Tederheid als wapen! Een man van de wereld had zich nooit moeten inlaten met zo'n spirituele padvindster.

Tussen de varia in het dagblad *De West* een stukje zonder inhoud over een drenkeling in de Marowijne, een 'buitenlander' genoemd. Censuur? Mocht het dé mister Samson zijn die het vliegtuig naar Quamal miste dan was hij geen gewone toerist. Vermoedelijk had je tegen wil en dank zijn codenaam overgenomen. Als de verdrinking geen ongeluk was, had men hem misschien voor mij gehouden. Allebei bereisde types. Als het Luciles volger betrof, die *barbiche*, nou, dan leken we wel wat op elkaar.

Op de kaartentafel in de stuurhut bekeek ik de map van de Guyana's. Volgens de krant was de drenkeling 'na een boottochtje' aangespoeld in Albina, 17 mijl van de oceaan af. Zou de vloed zó ver opkomen? Hij was zeker hogerop verdronken, misschien bij terugkeer uit het zuiden… in de machinekamer snerpte een sirene op. Alarm uit het ventiel van een drukketel, fout afgesteld. Mustafa kreeg hartkramp. Dat komt ervan op een schuit met kruitresten in het ruim! Bij elke knal van een lasbrander of de klets van een gevallen moersleutel schrok iedereen alsof de *Tripoli II* een drijvende bom was.

Luciles familieadres in Brussel nog eens gebeld. Nu een basstem uit de hoorn: *Ici maison Maghales.* Ene Michaël, haar broer. Op het bericht dat zijn zuster 'weggebracht' was naar de Braziliaanse grens, maakte hij een gnuifgeluid. Wie hij aan de lijn had? Oh, een vakantievriendje ergens in Caraïbië – meer hoefde monsieur niet te weten.

Medio februari nog geen nieuws over de vermiste.

In de bonte stoet winkelaars in het centrum waren weinig of geen *bakra's* meer te bespeuren. Leegte in de reisbureaus. Het leek wel alsof geruchten van een omgekomen toerist alle Europeanen hadden verjaagd. Of lag het 'm aan de moesson? Op een terrasje zat een bekende aan een tafel met Creoolse dames – Joyce Kino van radio Moksi. Om geen opzien te baren, keek ik de andere kant op en passeerde zonder groet. Beter dat we niet samen in het openbaar werden gezien.

In een Joodse winkel kocht ik een broche met briljantjes voor ma. Een gouden aansteker voor vader. De goudprijs was laag omdat veel armelui door de malaise hun *blingbling* moesten verkopen.

Om de hoek van het Kerkplein klakten er in het kielzog rappe pasjes. 'Hé, Popeye.' De omroepster. Ze deed een vinger op de lippen en ging stilletjes voor naar de schaduw achter de kerk. Het probleem van de verdronken toerist was inmiddels opgelost. 'Zijn body is in tegenstelling tot eerdere berichten niet aangespoeld in Albina maar in Saint-Laurent… aan de overkant van de grensrivier met Frans Guyana.'

'Ah, de Fransen krijgen de zwarte piet toegespeeld.'

'Nu ja, de witte piet.'

Iets anders, wilde je met haar trouwen? 'Uhhh…' Ze zocht een man, verklaarde ze fluisterend, om via een huwelijk de Nederlandse nationaliteit te krijgen. Kennelijk had ze haar mond voorbijgepraat. Joyce was een *beauty*, kittig, goed gevuld en stijlvol. Haar stem was betoverend. Maar helaas – Lucile zweefde als een zilvermeeuw door wufte gedachten heen. Nou, dan was je zeker afkerig van donkere vrouwen. Op haar teentjes getrapt! *Adiós.* Joyce snoof eens, zuchtte, en liep met loom swingende billen in haar splitrok de palmenlaan af.

Valentijnsavond. In het centrum klonken knallen van vuurwerk op. Bij de open balkondeur zat ik somber te luisteren
naar het gebruis van salsa-parties. Terwijl op straat feest werd
gevierd, viel het niet te verwachten dat Lucile op bezoek zou
komen. Toch zag je half en half naar haar uit – het ging maar
om een teken van leven. Zo hadden we in het dijkhuis op
Urk ook menigmaal op Sijtje gewacht.

De esoterie van *Magie du Shamane* liet zich niet zonder
een Frans woordenboek lezen.

Op goed geluk stelde ik me open voor de wereld van
Caribische mystiek. Maar waarop in te tunen? Zo'n soort verbinding viel niet even met een steekmof aan te sluiten.
Peinzend liet ik de Indiaanse dolk eens rondtollen op het
tafeltje. Tot stilstand gekomen, wees de punt naar de bushalte
schuin aan de overkant. Daar stond Ninon de oude hotel-
dienster uit Cayenne. Die vrouw scheen 'kennis' van het
supernormale te hebben.

'Hé, mama!'

Per taxi reden we naar haar schamele huisje in Blauw-
grond. Toen het bleek dat het om *winti* ging, wilde ik terug-
krabbelen, maar Ninon stelde me gerust. 'Thee met koeke-
brood?' Met haar witte kroeshaar en wijze ogen straalde ze
een zekere betrouwbaarheid uit. Rituelen zorgden voor een
sfeer van trance. Sereen geneurie in de rook van dragon. In
het schijnsel een kaars kreeg het medium contact met de vermiste, maar wist niet of het uit deze wereld kwam of van
genezijde.

'Er spreekt wel een sfeer van *sans-souci* uit, meneer.'
'Ah.'

Misschien wilde zij je alleen geruststellen. Hoe dan ook,
er hing een zweem van leven in de lucht. Na een offerande
in de vorm van 'monni' verliet ik ontroerd het krot. In de
hoop op een weerzien met Lucile zette ik onder de sterren-

lucht de eerste schreden in een onbekende dimensie. Het begon op de avond van de liefde. Tussen stalletjes met lampions en dansend volk hing een sfeer van passie in de tropenavond.

Weifelend stond ik voor de *Sailors Pub* toen er op het plein stemmen van een heilkoortje opklonken. 'De Heer is mijn herder…' Die oude, vertrouwde psalm leidde me terug op het rechte pad. God had zijn wankelmoedige zoon tot nog toe altijd behoed voor de ondergang, zoveel was zeker. Laat Hem in 's hemelsnaam niet los!

Na de afdwaling in het rijk van de *winti's* werd het tijd om weer op safe te varen. Beter om de 'magische dolk', die misschien demonen aantrok, nu maar in de rivier te dumpen. Weg ermee! Het wapen zat echter niet meer in een sok in je zak. Hee… gerold? Dan moest Joyce Kino het hebben gedaan. Het viel niet anders te rijmen. De tegenpartij, wie dat ook was, ging grondig te werk. Verzeild geraakt in een duister complot, was het geraden om het lichtspoor van het evangelie te volgen.

Boven fort Zeelandia stond een regenboog tegen een lucht van indigo.

Het kruis als geestelijk kompas. Aan boord van de *Tripoli II* zoveel als ketterij, maar ja, we zaten met twaalf man in één schip. Een wijkplaats voor alle Surinaamse soesa. De sobere moslims vormden een tegenwicht voor alle zorgen op de wal. Als zeelui onderling wisten we dat het in de eerste plaats om samenwerking ging. Jaweh of Allah, och, in wezen één pot nat. Nu het kruit uit China bij noorderzon was gelost, kon ons niets gebeuren. Toen het duidelijk werd dat 'master Skoet' geen mietje was en zij geen jihadisten, maar collega's, raakte het ijs eindelijk gebroken.

's Avonds op de hotelkamer, waar iets van Luciles *spirit* was blijven hangen, rezen er vertwijfelde vragen op. 'Hoe zo'n mystica te bereiken zonder het gemak van radiozenders?' Ook al zou je alleen maar een betuiging van spijt kunnen overbrengen. Eenmaal tipsy, had je daar desnoods de hel voor over. Om de verloren zuster te achterhalen, hoe dan ook, was je bereid om af te dalen in de onderwereld.

Klus bijna gereed, zo luidde het telegram aan de reder, *stuur z.s.m. een reserve-machinist voor passage naar Lybië; liefst geen bijgelovige, want er ligt een mummie in de vrieskamer.*

Na drie weken sleutelen kwam op de ochtend van woensdag de zestiende het herstelwerk aan de motor van de *Tripoli II* klaar. Die glom als nieuw. Na een uur of wat proefdraaien kon ik met een opgestoken duim in de kajuit melden: *Machine prima… finito.* Kapitein Muhamar, die er grijze haren van kreeg, tekende grif de werkbrief voor fiat. In de pantry waste ik moe maar tevreden mijn smeerhanden met soda. Vóór twaalven klaar. Onder de matrozen ging een hoera op, bij de reep brachten de officieren een saluut. De bootsman sprak met een schorre keel het *Salaam aleikim* uit.

Op de kade wenste ik hun met een handzwaai een behouden vaart toe.

Uit een telefoontje op het havenbureau bleek dat de SLM morgen nog een seat vrij had voor de nachtvlucht naar Amsterdam. Het was kort dag. De naspeuringen naar de vermiste Belgische moesten nu doorgezet worden om deze affaire naar eer en geweten te kunnen afronden. 'Taxi!' Onderweg naar het hotel zette een stortbui de straten blank. Op de kruising van twee palmenlanen eiste een optocht met paraplu's en natte vlaggen voorrang op. Bij het regeringsgebouw

ging gezang over in boze leuzen. De regen, te lauw voor ver-
koeling, kon de verhitte gemoederen niet tot bedaren brengen.

Op het siësta-uur was het te benauwd om uit de schaduw
te treden. Op het hotelbed lag je te luisteren naar het gefluit
van papegaaien. Vogels die in Europa gekooid leven, vliegen
hier vrij rond. In de wijdsheid van Brokopondo kunnen toeristen alle kanten op. Wie met *Safari Tours* vastloopt in het
nevelwoud, kan altijd nog verder met *Spirit Travels*. Bij gebrek
aan wegen wel zo handig. Maar ja, makkelijk gezegd – in
de praktijk was het moeilijk om in de ex-kolonie, stroperig
als melasse, ergens vaart achter te zetten.

Telefoon. Reder Sybrand: 'Dat karweitje heeft een week
te lang geduurd, Schut, we zitten te springen om …'

'Ho eens even, baas, ik ben hard aan walverlof toe.'

'Nou, haal dat maar na de volgende dringende reparatie in.'

'Uhhh…'

In bedekte termen wilde ik zeggen dat de lijn vermoedelijk afgetapt werd, maar die ging ruisen. De verbinding
viel uit. Het was raadzaam om eerst de bedrijfsjurist te con-
sulteren. Dan tevens naar de ambassade in Den Haag voor
een visum voor Frans-Guyana, en terug via de sluikroute
Cayenne. Nood breekt wet. Al met al zou het een weekje
duren, maar hopelijk zat er nog wat speling in. *Hurry up*. Als
de Waalse indianenactiviste niet verdronken was, kon ze het
misschien nog uitzingen tot de komst van Blonde Broeder.

's Avonds zat ik op een schommelstoel bij de open balkondeur uit te kijken over de lantaarns van het kuststadje. Buiten
was het nog warm. In het hoogland van Toemakhoemak,
daarentegen, kon het na zonsondergang fiks afkoelen. De

gedachte aan Lucile in het zwarte regenwoud wekte koude rillingen op. Er kwam de smaak van tranen bij. Het was lang geleden dat je gehuild had: bij de uitvaart van Sijtje. Op het kerkhof mogen Urkers best een beetje snikken, hoor, bij die gelegenheid kreeg zelfs vader het te kwaad.

Op donderdagmorgen, de dag van vertrek, werd het menens.

In de lounge van het *Corona Hotel* zaten repatrianten op hun koffers tussen de potpalmen. Was er een revolte uitgebroken? Niemand zei er wat over. De piccolo schudde onverschillig een postzak leeg op de balie. Gegraai. Er was een ietwat gehavend pakketje voor dhr. H. Schut bij. Het rook naar het binnenland. Een adres in doorgelopen letters van inktpotlood. Het stuk bleek te zijn verzonden vanuit Ajube/Chucuchi, onder rembours, en via de grenspost Quamal per rivier- en luchtpost.

Afzender: *Mme L. Maghales.*

Behalve een groezelige brief voor de geadresseerde was er één gericht aan een postbus in Gent, verzegeld met hars. Plus een builtje van fijngeschubd groen leer ter grootte van een kikvors. Een foto van de expeditieleden op de steiger van de grenspost: Lucile met losse haren en verband om haar knie tussen de gids en het zendelingenpaar in. Zij mat in de lens blikkend. Op de achtergrond hun korjaal met twee inlandse schippers in de damp van een oerwoudrivier.

Mon cher ami Herman, bij gebrek aan een postkantoor in de wijde omtrek heb ik dit epistel niet kunnen frankeren; stuur s.v.p. de ingesloten brief door aan m'n notaris. Terwijl ik dit noteer, gluren over m'n schouder enkele schaarsgeklede mannen naar het letterschrift als waren het toverformules. Mocht deze clan al eens blanken ontmoet hebben dan toch geen vrouwmens; men

beziet me als een curiositeit... oh, hoe mis ik thans uw
protectie!

Puffend van de opluchting legde ik de brief even neer. Rolde van shag-gruis een laatste Samsonnetje. 'Goddank!' Enfin, juich niet te vroeg.

Toen ge mij in Quamal in het diepe wierp (om me op dit punt van onze cameraderie op eigen wieken te laten drijven?) ving Madre Rio me op & de stroom voerde me ver heen; daar stond ik gans alleen in een woeste vegetatie. Na enige tijd klonk er motorgeronk op; het geluid stierf echter weg... vraag niet hoe ik de nacht ben doorgekomen! 's Anderendaags rond midi zwol het geronk weer aan: hoi, een boot met militairen uit Quamal. Toen men mij teruggebracht had naar de grenspost, was u helaas al afgereisd.

Hun expeditie ging van start onder leiding van gids Ramon, met hulp van twee Tyrio's. Stroomopwaarts werd de Alama zo ondiep dat de korjaal soms langs de oevers gesleept moest worden. *Op dag 5 liepen wij vast in een cul-de-sac, en sloegen een bivak op aan de voet van het Tumucumaque gebergte.* Terwijl de gids geveld lag door malaria, besloten de Europeanen wat verder te trekken. Ze namen de drager Tiki mee op pad. Toen er wolken opdoemden als voorboden van de regentijd, konden de Zwitsers het tempo in het hellingbos niet langer volgen. (…)

Getweeën bereikten wij een passage, waar onze inspanningen beloond werden met het magnifieke panorama van Noord-Brazilië; minder mooi was 't dat er een ploeg boze naturellen ten tonele kwam!

Tiki, die hun manieren niet kende, ging er vandoor. Daar stond ze omringd door primitieve krijgers. *'Force majeur'* voerden ze haar mee over de paadjes van een groen labyrint.

Het weken geleden geschreven bericht bood geen garantie dat ze nog in leven was. In de broeihitte van een tropenbos houden 'blanken' het meestal niet lang uit. Vreemde bacteriën... Enfin, ik hoopte er het beste van. Omdat het hoog tijd was om voorbereidingen voor het vertrek te maken, stopte ik de brief terug in de envelop. Straks maar verder lezen.

Jeeps met soldaten gierden door de straten.

Op weg naar de Centrale Bank aan de Waterkant, om cheques te verzilveren, vreesde ik geen arrestatie meer. Haar levensteken mocht als een vrijbrief gelden. Je kon nu met een gerust hart afreizen. Eerst maar eens thuis weer bij zinnen komen. Wel jammer dat we geen afscheid hadden kunnen nemen. In de drom voor de loketten las ik, staande, weemoedig de rest van haar brief.

De aankomst in Ajube aan een droge rivierbedding ging gepaard met donder & bliksem; in een hoosbui stonden de Wapini's me aan te gapen, een blanca die hemelwater bracht als een welkomstgeschenk. 's Avonds toen de aarde verkwikt was, barstte er een feestpartij los. De hoofdman Waranau (met wie ik als logopedist aardig kan communiceren in gebarentaal) inviteerde mij om te blijven. Als eregast kreeg ik een hangmat toegewezen in de vrouwenhut, waar schattige kinderen verlegen kwamen snuffelen, en maakte kennis met hun sjamaan Ighyas, een blinde schouwer die me (naar m'n groene ogen) 'Iguana' noemde. De volgende dag doemde er vanuit het noorden een illuster trio op, namelijk Tiki plus het evangelistenpaar. Met mimiek moest ik de animisten verklaren dat deze 'geestdokters' door hun god gezonden waren om heidenen te verlossen uit zielsduisternis; na een vergadering der oudsten moesten de Zwitsers hun tent aan genezijde van de rio opzetten. Dit gehucht staat op geen enkele atlas aangegeven, helaas, zodat ik geen postadres kan opgeven. Adieu & au revoir, m'n lieve vriend.

IGUANA

Het meegezonden builtje van groen leer rook naar bladaarde. Een amulet? Het briefpapier vertoonde vlekken van zweet of traanvocht. Een dode bosmier, met bloed vastgeplakt, getuigde van één van de zeven plagen. Tegen het eind gingen de fijne, sierlijke blokletters over in schuinschrift. De woorden leken steeds haastiger neergekrabbeld, alsof er donkere wolken samenbalden boven het paradijs.

Flair had ze wel. Alleen de fout gemaakt om zich in de frontlinie tussen Indiaans land en het leger van landhongerige *Brasileiros* te wagen. En bovendien de zendelingen laten verbannen, de enigen die haar konden helpen. Peinzend ging ik in de hotelbar lunchen met *tapas* en koffie. Madame dacht dat ik haar voor haar bestwil in de junglerivier had gegooid, als een duwtje in de rug! Net als Sijtje zag ze alleen het goede in mensen. Nou, laten we hopen dat er in Wajanaland geen misbruik van gemaakt werd. Haar builtje toonde ik aan de Indio-kelner, met de vraag welk soort leer dit was.

'Groene leguaan, sir.'

Volgens Sjako gold die grote fraaie boomhagedis als het kroonjuweel van de Zuidamerikaanse fauna. De inheemsen zien haar als een voorouder. Omdat ze uit haar oude huid kan kruipen, staat het teken van *iguana* voor verandering en geestelijke groei. Op het builtje wijzend, voegde hij er op een eerbiedige toon aan toe: 'Een symbool van onsterflijkheid.' Wat, het eeuwige leven?

'Zoals Aguila Blanco zei, *life is a chain of immortal souls.*'

Hm, mooie woorden. Haar nu in de praktijk maar uit de puree gaan halen? Ach, 'Iguana' zou niet terug willen. In Wajanaland hoopte ze te vinden wat ze zocht: vrijheid. Uit de knellende huid van haar westerse scholing gekropen, om een bosmens te worden, ging ze eeuwen terug in de evolutie. Terug naar het jaar nul. Zulke ideeën had Sijtje ook: kamperen op Rottumeroog… Enfin, het vliegtuig naar Schiphol zou om 15.32 gaan. Een minuut of vijftig per taxi naar 'Zanderij' en dan nog eens twee uur om door de luchthaven heen te komen. Inpakken!

Als er nog tijd voor was geweest dan had je het bureau voor toerisme wel persoonlijk op de hoogte gesteld van het goede nieuws.

Om kwart over twaalf zat ik met mijn koffer klaar in de lounge, waar het personeel hun fooi bij 'baba Samson' konden afhalen. Op het heetst van de dag uitgeboekt. De receptionist, een zwarte dandy, nodigde me hartelijk uit om nog eens terug te komen. Het land kon niet buiten deviezen van het toerisme. Maar ja, oost, west thuis best. Sugar Ray knikte meewarig. Had je overigens nog wat van de Belgische dame vernomen?

'O, die rooit 't geloof ik wel.'

'Wanneer komt ze terug?'

'Geen idee, misschien kan ze niet eens meer een retourtje betalen.'

Hij keek ervan op. 'Die weduwe van een staalbaron is schátrijk, sir, zij heeft een fonds voor Indianenhulp gesticht!'

We zwegen toen er twee hoekige kleurlingen in beige pakken bij kwamen staan. Geen hoteltypes. 'Een taxi naar Zanderij,' lispelde ik. Sugar Ray knikte en gaf de piccolo een seintje met zijn wenkbrauwen. Foute boel! Was madame Maghales nu alleen maar wat excentriek geweest, och, dan had ze gerust als Iguana in de rimboe rond mogen huppelen.

Dan was ze niet potentieel staatsgevaarlijk geweest. Zo'n vermogende 'dame' kon best eens een legertje *pistoleiros* inhuren, hè, om de inheemse rechten te verdedigen in een afgelegen bosgebied.

Plassen opwerpend, stopte er een aftandse Dodge voor het hotel. 'Airport-taxi,' zei de Javaanse chauffeur. Eerst even langs het postkantoor graag, waar de brief aan haar notaris aangetekend moest worden verzonden. In het centrum liep de taxi vast in de massa van een optocht. De rijen bij het postkantoor waren zo lang dat we maar koers zetten naar Zanderij. De brief op zak gestoken om die op Schiphol per expresse te posten. Zo zou het stuk eerder in België aankomen.

Al vanaf het hotel reed er op een afstandje een grijze Talbot achter ons aan. Het nummerbord onleesbaar door de roest. De inzittenden bleven vaag achter de gecoate voorruit.

Onderweg over de lange asfaltbaan door de savanne van Para weer gepieker over de Waalse fee. Hoe verging het haar? Je zou blij zijn geweest om naar huis te gaan, als zij maar niet verweesd achterbleef in de wildernis van Toemoekhoemak. Haar 'ijsbeer' was zeker verliefd, maar op wie dan: Lucile of Iguana? De eerste bestond niet meer. Haar alter ego zou men de stad misschien aan een zoet lijntje afvoeren naar een gesticht voor zwakzinnigen.

De grijze auto volgde ons trouw in het kielzog.

'Weleens van de Wapini's gehoord?' vroeg ik de chauffeur. Hij keek op via het spiegeltje en knikte. 'Dat zijn geloof ik nog kannibalen.'

'M'n vriendin is bij die stam beland... maar ze werd er vredig ontvangen.' Siriman toeterde wat kippen van de weg af. 'Is ze mollig?'

'Nee, slank als een den.'

'O, dan zal 't nog wel een poosje duren om haar vet te mesten.'

Ik deed er het zwijgen toe. Vertrokken met z'n tweeën en zonder die 'vriendin' teruggekeerd… Wie zei dat je haar niet aan de heidenen had overgeleverd om een fortuin aan levensverzekering op te strijken. Misschien was dat de bedoeling van 'mister Samson' geweest. Of had hij juist een oogje in het zeil moeten houden? Hoe dan ook, die op mijn persoon geplakte bijnaam bleef achter in Paramaribo.

Halverwege de rit, aan een dode spoorlijn, verzocht ik de chauffeur te stoppen bij een kraampje met *swiets* en kranten langs de weg. De Talbot moest er nu wel langs. De inzittenden waren in het voorbijgaan te herkennen als de kleurlingen uit het hotel. Recherche of gangsters? Terwijl ik op wisselgeld voor een fles cola stond te wachten, viel mijn blik op een berichtje onder op de voorpagina van *De West*.

HERNHUTTERS VERMIST

Quamal. In Zuid-Sipaliwini wordt een tweetal Zwitsers vermist. Zij waren op een zendingsmissie onder Indianen uitgetrokken in het grensgebied met Brazilië. Zij keerden evenwel niet terug van een verkenningstocht, voorzover bekend, en sindsdien is er niets meer van hen vernomen.

Herr en Frau Hulvig – wie anders? Nou, ga maar na, dan verkeerde ook Lucile in moeilijkheden. Volgens haar brief moesten de Zwitsers door haar toedoen aan de overkant van de rivier bivakkeren – een oever rijk aan krokodillen? Of misschien hadden opgehitste Indio's hun bestookt met giftige pijltjes. De Waalse werd in de krant niet genoemd. Nu ja, tot het punt waarop spoorzoekers met honden haar pad gekruist zouden zien met dat van de vermiste predikers. Dat kwam nog wel.

Weer in de taxi, zat ik weifelend in de verte te turen. Verderop stond de Talbot in de berm te wachten. Siriman klikte met zijn tong en zei hoofdschuddend: 'Niet *senang*.' Wij dachten hetzelfde. 'Zeg, chauffeur, breng me in plaats van naar de airport maar naar een stil hotelletje.' Het liefst zo dat die grijze Talbot de mist in ging.

'Aï-aï, sir.'

Siriman startte de auto, draaide met gierende banden op de weg, en gaf plankgas. *Terima kasih banyak*. Voordat de Talbot in beweging kwam, waren wij al om een bocht gestoven. Daar schoot onze taxi in een wolk van stof een zijweggetje tussen plantages met dadelpalmen in.

Via de overgang van een oude smalspoorlijn ging de hotsende rit over een grindpad door een streek met suikerriet. Hier en daar wat huisjes met loofdaken. Verderop een eenzame olifant… nee, een locomotief uit de tijd van de *goldrush*. Roest en asgeuren, gieren op telegraafpalen. Achter het karkas van een houten goederenstation, half overwoekerd met onkruid, doemde *De Lely* op. Een wit motel met tennisbanen als een oase te midden van bruine landerijen.

De volgende morgen op een motelkamer ontwaakt door gehuil. Een slaapdronken blik naar buiten leerde dat het spookstation in nevel lag gehuld. Dat gehuil leek uit je eigen hoofd te komen. Het klonk als doffe smartkreetjes, als die van een gekwelde dame, totdat het naar een hoog gillen steeg en er gebas bij kwam. Vrijers op de naaste kamer. Voor de logiesprijs was motel *De Lely*, hoewel comfortabel, toch vrij gehorig.

Enfin, ik was hier niet om een toeristengids samen te stellen. Nu het besluit was genomen om de thuisreis uit te stellen en Lucile op te sporen, was het kort dag. Welke was de snelste weg naar het bovenland?

Wat reisspullen in de heuptas gestopt. Secuur ging ik mijn plunje na of alle benodigdheden wel op hun plaats zaten. In mijn broekzak voelend, klonk er een licht geknetter uit op. Het leguaanleren builtje. Weifelend speelden mijn vingers met het gladde, groene vel, dat de menselijke lichaamswarmte aannam.

'Oh, oh, Lucile,' verzuchtte ik, 'waarom doe je me dit aan?'

'Wanhoop niet, *cher ami.*'

In de kamer was geen mens aanwezig... kon zo'n amulet fungeren als een zender? Meer bekend zijnde met marifoons bezag ik het huiverig bij het raam. Het was haar stem, ja, maar via welk medium. Hallo schat, wilde ik zeggen, hoe gaat 't ermee? Slikte het in. Weifelend stond ik met het ding in de hand – inheemse kunst, tovergerei of een stuk ballast. Och, het woog licht en nam weinig plaats in beslag. Als een kleinood bond ik het met een veter om mijn nek onder mijn shirt. Misschien handig voor een geurspoor. In plaats van het woord te richten tot een onzichtbaar mens nu maar gewoon van de telefoon gebruik gemaakt om wat aan de weet te komen over het zendelingenpaar.

'Hallo, hier radio Moksi.'

'Is Joyce Kino soms even te spreken?'

'Die is foetsie...'

Aan de andere kant van de lijn werd opgehangen. Wat was er met de omroepster gebeurd? Grimmig keurde ik me in de toiletspiegel – geen rondlummelende toerist maar een ervaren beroepsreiziger. Des te eerder Iguana, alias madame Maghales, nu bereikt werd des te beter.

In de eetzaal zag ik de ochtendkrant in. Geen nieuws over de Zwitsers. Terwijl ik de reis uitstippelde op een servetje, kwam de adjudant van de vreemdelingendienst in burger binnen. Garsing zag dat ik hem zag. Hij krabbelde aan zijn snor maar passeerde koel, gevolgd door een meisje uit de Ramayana. Ze hadden hier overnacht. Incognito, kwam het hem zeker ongelegen om je in het openbaar aan te spreken.

Het span trok zich terug aan een hoektafeltje.

Toen ik na een haastig ontbijt opstond om uit te boeken, kwam Garsing me achterna om in de lounge onder vier ogen te vragen wat er loos was. Hij kreeg wat informatie: 'De *Tripoli II* heeft Chinese munitie gelost, chef.' O, misschien een lading vuurwerk voor de viering van het Holi Phagwa-feest. Hij opperde het op een lauwe toon, alsof de tip niet zozeer van belang was en dus geen gunsten waard.

'Plus dit, chef, de Waalse toeriste heeft een levensteken gegeven.'

Wist hij trouwens dat je gisteren werd gevolgd door twee stillen in een grijze Talbot? Het kon volgens hem geen rijks-politie zijn geweest – wat wel dat bleef in het midden. Gelukkig had de adjudant geen dienst. 'U kunt uw gang gaan, Schut, zolang u zich maar niet met onze zaken be-moeit.' Onder die voorwaarde zou je bij het verlaten van het land niets in de weg gelegd worden. Akkoord. Wij hadden elkaar in dit rendez-vous motel niet gezien, hoor, laat staan gesproken.

Het visum was nog ruim veertien dagen geldig. Genoeg tijd om heen en weer naar zuidgrens te reizen, maar dan wel op de snelste manier. Zoals gebleken, was dit niet met *Swift Air*. Aan de balie om raad gevraagd aan de hôtelier. Over land viel zo'n tour niet te doen, alleen via de rivieren of anders mis-schien op iets als een Perzisch kleed. Zou wat voor Sijtje zijn geweest. Zus hoefde op zolder alleen maar schrijlings op een oude rol vloerkleed te gaan zitten en haar ogen te sluiten of ze steeg in haar verbeelding de lucht in – een heksje met sproeten en peenhaar.

Denkend aan thuis, waar men op mijn terugkeer rekende, nam ik nog even de tijd om een telefoonverbinding met Urk aan te vragen.

Moeder voor dag en dauw uit bed gebeld. Ruis en geknetter op de lijn. Terwijl ik de toestand in voorzichtig gekozen woorden uiteen zette, onderbrak ze die smoesjes blij verrast. 'Hè, ben je al op het station van Lelystad?'

'Was het maar waar, mam, Lelydórp in Suriname... het spijt me dat ik uw verjaardag moet missen.'

Ze betreurde het dat het uit was met Loes, ach, ze had voorvoeld dat de verloving op de klippen zou lopen. Voor de rest alles goed met de familie. 'Tabé mam, doe de ouwe de groeten en jullie horen 't nog wel.' Het doodse spoorweg-stadje lag in oplossende nevel. Op een veld achter het motel deden gieren zich tegoed aan het karkas van een karbouw. Evenals de zon en de bananen was de opruimingsdienst hier gratis.

Bij inspectie van de cash in mijn beurs – genoeg om douaniers mee te lijmen? – kwam er een kegelvormig steentje aan een kettinkje aan het licht. De pendel die Lucile in Quamal achter had moeten laten. Haar geestelijk kompas. Kapitein Kondre had er als kenner van edelstenen enkele bijzonderheden bij vermeld. Agaat zou de drager moed schenken, het brein verlichten, en beschermen tegen aanranding en slangenbeten. Hm, was gewoon doorzetten en opletten niet beter? Ik nam die pendel maar mee als een alternatieve routewijzer. Wel wat anders dan een girokompas, maar misschien toch van nut in de schemerzone tussen onze werelden. Niets mocht nagelaten worden om haar te kunnen opsporen.

Maripasula in Frans-Guyana, 130 mijl van de kust af, de laatste plaats met een vliegveld. Vijf dagen gaans. Per bus naar de mijnstad Moengo, daar in een truck via zanderige boswegen door het district Brokopondo naar de middenloop van de Marowijne, en dan in een korjaal stroomopwaarts. Overnachten in bushdorpen. Onderweg op de schier eindeloze grensrivier maakte ik me nuttig door het vermogen van de 50 PK buitenboordmotor op te voeren, en koesterde de benzinepomp als een hart. Met de schippers onderling in het *pidgin* gesproken. Jonge, kwieke bosnegers, meesters in het nemen van stroomversnellingen. Onderweg kraaiden er toeristen als kinderen op hun schoolreisje.

Op vrijdagavond eindelijk een koel biertje op het terras van hotel *Le Toucan* in Maripasula. Daar aan de rand van het Amazonewoud houden alle wegen op. De weinige Europeanen hokken samen in dit koloniale hotel met zicht op de riviersteigers. Voor de rest marrons, goudzoekers, legionairs, refugiés uit Suriname en werkloze inlanders. Op deze hoogte onder de evenaar valt het tempo stil. Werd het ten westen van de Maroni altijd 'morgen', hier wordt het altijd *demain*.

In de lounge de plaatselijke firma *Hélicoptère Taxi Guyène* gebeld. Hun tarief: 790 euro per uur! Creditcards werden niet geaccepteerd. Tussen fuivende Ieren aan de bar telde ik verslagen mijn cash na – amper 600 dollar. Een ansicht met postzegel kon er nog net vanaf. 'Ben hard op weg, beste lui, en hoop op Koninginnedag terug te zijn op Urk.' Zo wist men thuis waar je het laatst verbleef vóór de sprong in de wildernis. In deze strafkolonie was alles prijzig, en des te zuidelijker des te duurder. Voor madame Maghales als de weduwe van een staalbaron geen probleem. Was ze een miljonair of een miljardair? In dit laatste geval zou de door haar uitverkoren Wapini-clan een goede kans op soevereiniteit maken.

Aan de bar zat ik sentimenteel naar de foto van de expeditie te staren. Met warrige haarpieken voor haar gezicht deed Lucile eens te meer aan Sijtje denken. In een waas van tabaksrook vloeiden ze samen tot één persoon. De ziel van een vissersdochter in het lichaam van een groene engel…

'Meneer Schut, hè.'

Aan de bar dook een vent met een ros baardje en een gecoate bril op. In zijn reisvest met regenhoed, camera om de nek, had hij wat van een journalist. De *barbiche*… mister Samson! Nog even cool als in het hotel in Paramaribo. In plaats van zijn uitgestoken hand te schudden, wilde ik hem bij zijn zweetsjaaltje grijpen. Had hij madame Maghales achtervolgd? 'Wie,' zei hij grijnzend, 'die Belgische in Corona?' Door omstandigheden had hij haar uit het oog verloren.

Ik keek hem strak aan. 'Hoe komt u nou aan mijn naam?'

'Well, ik zocht een Hollander,' zei hij met een austraal accent, 'en zag met één blik: ah, kazig.' Hij was op het vliegveld geweest om een heli naar de Braziliaanse grens te regelen, en vernam van de piloot dat er een *Hollandais* had gebeld voor dezelfde bestemming. 'Laten we fifty- fifty gaan, Schut.' Korting op het tarief kwam me wel goed uit, maar hij had sluwe ogen. In elk geval was hij niet verdronken in de Marowijne.

Belichaamde hij nu wel de Samson die geboekt had voor Quamal? Hem terloops naar zijn nationaliteit gevraagd. 'Geen.' Op luchtige toon liet hij los dat hij was opgegroeid in Kaapstad, schoolging in Breda, bij het vreemdelingenlegioen had gediend en in West-Vlaanderen woonde.

'Hm, een avonturier.'

'Geweest, ja… ik ben getrouwd en heb drie kids.'

Evengoed kon hij zijn blik niet van kittige marronmeisjes afhouden. Of misschien bluf. Wat ging hij in het bovenland doen?

'Indianen schieten.'

'Zo.'

'Ik werk als fotograaf voor de National Geographic.' Bij merèngue-muziek bestelde hij met een vingerknipje twee glazen palmwijn. 'En jij?'

'O, niks, ik ga iemand ophalen uit de rimboe.'

Hij wreef zich in de handen. 'Dan kunnen we samen reizen, hè.'

Hij had het eerst geprobeerd in een dorp van 'tamme Wajana's' maar die weigerden om voor wat francs en een fles brandy rond de camera te hossen. Zo moest hij het hogerop zoeken. 'We mogen wel voortmaken, straks is er nog maar één wilde stam waar iedereen naar op zoek is.' Zouden we wel toegang krijgen tot een Indiaans resort? Grijnzend toonde hij een geplastificeerd SIS-pasje. Ah, een lid van de *Sipaliwini Indian Society*? Het antwoord was een vaag ja-knikken.

Meneer was enigszins bekend in de regio, en deed het voorkomen alsof het een buitenkansje was om met hem op reis te mogen. Gezien de financiën bleef er geen andere keus. Als je hem niet ontmoet had dan had je verder gemoeten in een uitgeholde boomstam. 'Oké, partner.' We spraken af voor morgenochtend zeven uur in de eetzaal.

Mijn kamer in het houten hotel in empirestijl was pal boven de bar gelegen. De Ieren sloegen aan het zingen en het stampen. Gelal van dronken paddies, weinig bevorderlijk voor de slaap, maar ik durfde de trap niet af om die lui te vermanen. Moest me gedeisd houden. De tijd ontbrak om een doorreisvisum bij de prefectuur aan te vragen. In deze smeltkroes van Franse kolonialen, Indio's en donkere Zuid-Amerikanen sprong een blondkop in het oog.

Op een kaart aan de wand nergens in het grensgebied een dorp genaamd Ajube. Dat werd zoeken naar een naald in een hooiberg. Het hielp niet om Luciles pendel erbij te houden – op geen enkel punt sloeg de steen uit. Bij gebrek aan fijngevoeligheid? Opsporing door middel van 'metafysische detectie' scheen onmogelijk voor outsiders.

Om herrie uit de gelagzaal te dempen, deed ik de oormicrofoontjes van de radio in. Bob Marley & the Wailers: *You are a soul-adventurer…* Hoewel ik me niet aangesproken voelde, bleef ik naar het deinen van *reggae* luisteren in afwachting van het nieuwsbulletin. Dat kwam niet, alsof in dit oord zelden enig nieuws uit de wereld doordrong.

Rond twaalf uur driemaal een klopje op de kamerdeur.

Op de gang stond een jonge Indiaanse vrouw in een glitterjurk, in haar hand een fles likeur. Ze noemde zich 'Ima', een presentje van *monsieur Willie*. Wie? Met het oog op de andere hotelgasten wenkte ik haar even naar binnen. Zwijgzaam naar de volksaard, scheen ze niet te weten wie haar gestuurd had – misschien via een escortbureau. Drank zou haar wel wat spraakzamer maken. Nadat we geklonken hadden met een glas *crème de cacao*, liet Angela stil haar billen keuren. Hm, wel gloedvol maar iets te gespierd… Ik gaf er een klap op om haar weg te sturen, maar nu scheen ze te menen dat het SM-werk werd.

We begrepen elkaar niet.

Willie kon wel eens een schuilnaam zijn – in Engeland zoveel als 'pik' of KlaasVaak. Het riekte naar smeergeld in de vorm van een exotische schone. Wie wilde je zo voor zich winnen? *Ah, monsieur,* verzuchtte Ima, *laissez aller.* In het binnenland van Frans-Guyana eigenlijk niet zo'n gek motto. Drukmakerij levert hier slechts transpiratie op. Rozig na een zware reisdag, strekte ik me op bed uit en liet alles maar over me heen komen.

Gedroomd van Lucile als een zeemansbruid. Eenmaal opgeblazen, dreef ze bij ebtij licht weg over het oppervlak. Tegen de onderstroom viel niet op te zwemmen! Nat van het zweet ontwaakt, lag ik naar de balken van de hotelkamer te staren. Vroeg of laat zou die schat lek raken…

De Indiaanse was weg alsof ze hier nooit aangeklopt had. Wat was er vannacht gebeurd? Aangekleed was je ingedommeld, misschien door een slaapmiddel in de *crème de cacao*. Gelukkig waren alle creditcards en papieren er nog. Nader beschouwd, bleek het dat er wel in je portefeuille was gesnuffeld. Het was Ima niet om geneugten te doen maar om persoonsgegevens.

Buiten tjilpten er parkieten als de mussen van Amazonië.

Een door het raam vallende zonnestraal lichtte iets op de landkaart aan de wand op. Een bloknootblaadje in de lijst. In donkerroze was er een ovaal op getekend met een verticale middellijn, in het midden onderbroken door een rondje. Het rook naar lipstick. De afbeelding deed denken aan de doorsnede van een appel. Kunst? Veeleer een teken, achtergelaten door Ima, maar wat had het te beduiden? Peinzend stak ik het briefje met de afbeelding op zak.

Om zeven uur nog geen fotograaf, of wat hij ook was, in de eetzaal te bespeuren. Aan de steigers bij de rivier heerste al kleurig leven. Vaten benzine werden overgeladen, fruit verhandeld, marrons voeren manden met vis aan in hun korjalen. Aan de leestafel koos ik tussen Franse lectuur *De West* van eergisteren uit. Niets over het lot van de vermiste zendelingen. Op de binnenpagina wel wat interessants voor de Waalse fee:

NIEUW INDIANENPROTOCOL

De in Paramaribo gesloten overeenkomst tussen de regering en het traditioneel gezag in het binnenland brengt geen duidelijkheid over de grondrechten. Het stuk regelt de erkenning van de rechten van de inheemsen, en het gebruik van een nader te bepalen gebied, uitgaande van het principe van natuurlijke begrenzing. Alleen wanneer 's lands economische belang het vereist zal dit grondgebied bestemd kunnen worden voor de nationale ontwikkeling.

Een hopeloze zaak, die Indianenkwestie. Buitenlanders konden zich er beter niet mee inlaten. Ik bekeek de cryptische tekening op het briefje van Ima nog eens. Een doorsnede van de verboden vrucht? De fotograaf kwam binnen slenteren en schoof erbij aan tafel. 'No hurry, Schut, we worden om tien uur pas op het vliegveld verwacht.' Zeg, had hij zich in Paramaribo soms ook verslapen voor die vlucht naar Quamal? Bij dit laatste woord krabbelde hij even zuchtend in zijn baardje.

'O, ik heb zoveel te doen!'

Hij zei dat hij toen nog naar Galibi moest om zeeschildpadden te kieken, wat misliep door pech bij de oostelijke grensrivier. In Albina huurde hij een rubberbootje maar onderschatte de getijstroom, was in het donker gekapseisd, het werd zwemmen, en zo ging in Saint-Laurent het gerucht dat er een toerist was verdronken. 'Wie niet meer bestaat, kan alle kanten op hè.' Zijn camera was in de Marowijne gevallen en hij moest op een nieuwe uit België wachten. Omdat hij door dit oponthoud het vliegtuig naar Quamal zou missen, was hij maar via de Franse kant verder gegaan…

'Als dat waar is, had jij die vlucht wel even mogen cancellen.'

'Een doodgewaande moet op de vlakte blijven.'

'Tja.'

De klok wees bij halfnegen. Ik ging inkopen doen, we zagen elkaar wel op het vliegveld. De koffer achtergelaten om lichter te zijn in het veld. Bij de balie moesten depotkosten vooruit betaald worden. Het kwam voor, zei de hôtelier triest, dat lieden die op goed geluk naar Amazonia trokken nooit meer terugkeerden.

In een muf boekwinkeltje aan het kerkplein schafte ik een kaart aan. Geen recente, maar de verkoper zwoer dat er de laatste honderd jaar niets was veranderd aan de topografie. *C'est tout du sauvage.* In de bazaar een kijker, een zaklamp, twee flessen Stroh-rum en een plunjezak van canvas gekocht. Na wat pingelen voor de helft van de prijs – eigenlijk nog te duur.

In *Café le Bagno* kocht ik een baal Gauloise-shag om de vliegen weg te paffen. In het geroezemoes van de zaterdagmarkt in Maripasula waren mijn gedachten elders. Als een spinsel had 'Lucile Iguana' zich in mijn geest genesteld. Haar leguaanleren builtje schrijnde in het klamme borsthaar onder mijn shirt.

Op de terugweg bleef mijn blik hangen aan een krijtschets op de schutting van een vervallen kazerne. Een ovaal met een rondje in de middellijn… hetzelfde teken als dat van Ima. Politiek geladen? Aan een passerend heertje met een strohoed gevraagd, of hij wist wat het voorstelde. Hij lachte besmuikt. *Une chatte, monsieur.* Wat, een katje? Ja, maar in de betekenis van het vrouwelijke schaamdeel, of botweg gezegd: het schema van een kut. Misschien Ima's visitekaartje.

Op de markt koos ik als proviand een tros bananen en een pond pinda's in de dop. Een klein, zwart bedelaartje kreeg wat munten voor een sandwich. Na ontvangst volgde het kind me toch nog in het gewoel tussen de kramen. 'Vort, knul, bazie moet zuinig zijn!' Iel maar taai liet hij zich niet afschudden. Daar waar zijn smeektoontje overging in een eisende toon sloeg ik een steeg in, waar ik het joch ter ontmoediging een schop onder de broek gaf. Met een gil vloog hij over een ligusterheg heen. 'Oh, sorry!' Ik had vrij zacht geschopt, ja zelfs voorzichtig, maar wist niet dat de ondervoede Coco zó licht woog.

Achter de heg klonk een gekrakeel op. Het joch was op een grasgazon beland tussen een kransje Creoolse dames aan de thee. Bouviers sloegen aan het blaffen.

De vrouwen hieven een jeremiade aan, rezen op van hun tuinstoelen en wezen verontwaardigd op de dader in de steeg. Die er nu rap vandoor ging. Ze dachten dat Coco als voetbal was gebruikt! Met een bonzend hart zwenkte ik een achterstraatje in. Feitelijk een doodlopend slop. Als enige uitweg prijkte er boven een deur met een luifel het opschrift PAPILLON in lila letters aan de pui.

In de schemerige hal zat een spichtige baas achter een plank met flessen. Hij monsterde je even, knikte en wees naar een deurgat met kralengordijn. In die kamer blonken de ogen van een negrita fosforwit op onder een fan bij een ledikant met pluchedek. *Entrez, seigneur*, fleemde ze, *il fait bien frais ici*. Terwijl buiten boze kreten opklonken, stond ik op de drempel na te hijgen. De achtervolgers leken voorbij te trekken door de hoofdstraat.

Toen je Olivia wilde afwimpelen, reikte ze olijk een referentie aan: *Vous êtes un ami de Willie, hè*. Een vriend van Willie? Zeker degene die me in het hotel via een callgirl had laten doorlichten. Op de vraag wat ze van hem afwist, glimlachte ze wuft. Nou, wat kostte een kwartiertje keuvelen? Gisteravond had ze mij samen met die fotojournalist aan de bar van *Le Toucan* gezien. Zo, zo. Hij was hier pas een paar dagen en stond al bekend in het plaatselijke bordeel. *Merci bien, Olivia.* Wat bankbiljetten voor de tip dat Willie – alias mister Samson – bepaald geen brave borst was.

Na het intermezzo in *Papillon* leek de kust vrij te zijn. Buiten althans geen gejoel meer. Weer in het felle zonlicht keek ik dizzy rond. Sliep uit! Over een palmenlaan naderden twee legionairs op patrouille. Toen ik de andere kant op liep, versnelden ze hun passen. Werd er soms een blonde walrus gezocht wegens 'molest' van een zwart bedelaartje? Aan een gevel om de hoek prijkte een roodwitte staaf met het uithangbord COIFFEUR.

Oude marrons op een bank in het lokaal keken op toen er een koloniaal type door de vliegenstroken naar binnen glipte. *Bonjour.* Wat een ontzag! Le Blanc hoefde niet eens op zijn beurt te wachten – de kapper gaf voorrang aan de eerste de beste Europeaan. Wel gênant. In de kapstoel verzocht ik hem bleu om mijn zongebleekte haar brosse te knippen, een donkere spoeling, en de snor af te scheren.

Ay-ay, monsieur.

Buiten marcheerde het duo korporaals voorbij, binnen smiespelden de klanten. Ik zat op hete kolen. Toen de snor er eenmaal af was en het stekeltjeshaar bruin, herkende ik mezelf amper in de spiegel.

Bij tienen bleek 'meneer sam-sam' nog niet op het vliegveld aanwezig te zijn. Bij de hangar zat de piloot van *Héli-Taxi* op een kistje in de schaduw van zijn defecte Hirondelle. George. Hij had al een monteur gebeld maar die scheen panne te hebben met zijn scooter. Op dit lome uurtje van de ochtend had in Maripasula niemand haast – alles ging hier op z'n Frans. Ik bood aan om het mankement te repareren. *D'accord.* De piloot gaf me zolang een overall van Air Guyène en een gereedschapskist.

Fluks de motor van het oude toestel gecheckt – pfff, lekkage van olie uit het carter. In het magazijn was geen roodkoperplaat 0,5 cm voorradig. Zou een pakking van rubber het uithouden? Onderwijl kwam de 'fotograaf' er over de zinderende baan aan slenteren. Om zijn ene schouder een rol touw en aan de andere een kapmes. Hij herkende de veranderde Schut eerst niet in de schaduw onder de machine. *Où est le patata?* vroeg hij aan de piloot. George krabbelde aan zijn krullenbol en grinnikte droog. Willie gaapte me nu aan. 'Hee… had jij niet een snor?'

'Laten we zorgen dat we vóór donker in de bush zijn, partner, ik heb me laten vertellen dat daar geen straatverlichting is.' Hij sloeg zich voor zijn kop. 'Blitslampjes vergeten!' Hij klikte met zijn tong en liep zacht fluitend terug naar het marktplein.

'Cocaïne,' zei George meewarig.

Puffend en zwetend fikste ik de motor, zonder adempauze, om minuten te winnen. Had het idee dat Lucile Iguana het water al tot aan de lippen stond. Iets over elven kon ik de overall, nat als een dweil, uittrekken en het sein startklaar geven. De reisgezel was weer eens te laat – om de *willies* van te krijgen! Nou, met zo'n hufter wilde ik geen enkel risico nemen en kon het eigenlijk alleen ook wel af. In die wedloop met de tijd dokte ik desnoods wel vol tarief, met aftrek van werkloon, als we dan maar meteen opstegen. De piloot knikte en hees zich zonder meer in de cabine. Des te lichter beladen het toestel, des te sneller en veiliger onze vlucht.

Allez hop!

Captain George meldde zich af via de boordradio, en liet de rotor even warm lopen. Hij klikte de vrijstand uit. De machine zweefde al enige meters boven de grond toen de reisgenoot bepakt de betonbaan op kwam klossen. Hij maakte een vragend gebaar met zijn handen, riep wat onverstaanbaars omhoog. Zijn hoed werd afgeblazen. *Bye-bye, Willie.* Onder geraas steeg het toestel op, draaide in de lucht, en zwenkte met een boog schuins over het stadje naar het zuiden.

Zowat een uurlang volgden we het stroomdal van de Marowini. Bij het baken van een mijnput afgebogen naar de kronkels van de Litani, langs het betwiste gebied. De piloot wist de Alama-rivier te traceren tussen de plooien van het Mitaraka Massief. Vanuit de hoogte bezien één groot, dampig labyrint van groentinten. De grenspost Quamal ging schuil onder bewolking.

Het lint van de Rio Alama verdween soms in de hellingbossen.

Het werd moeilijk om de expeditieroute te volgen aan de hand van Luciles brief. In die golvende streek met 'broccoli' strekte zich meer dan één beekdal uit. Beneden geen spoor van menselijke bewoning. Ik schoof Ima's briefje – misschien een aanwijzing – eens over de kaart als was het een legpuzzel. Nergens een vallei in de vorm van een *chatte*. Nou, waar moest je aan de grond gezet worden?

Met het oog op de retourvlucht was er te weinig kerosine in de tank om rond te blijven kletteren. Er wasemde olie uit de hete motor. Die geïmproviseerde pakking ging toch lekken – sorry, haastwerk.

De piloot wees omlaag: de resten van een vuurtje aan een rivierstrand. We waren warm! Als vanzelf betastten mijn vingers het amulet-builtje onder mijn shirt als was het een peilzender. 'Hallo, Iguana, waar ben je…' Hè, gebaarde George. Op het laatst sloot ik mijn ogen om haar als een vleermuis op te sporen. Wazige radarbeelden. Door het motorgeraas heen klonk ijl geschrei op – dat van een vrouw. Beneden viel niets bijzonders te bespeuren, één en al oerwoud. Zo bezien waren staten als Frans-Guyana, Suriname en Brazilië slechts stippellijntjes op de kaart, wegvallend in de immense ruimte van het oude Wajanaland.

Ho eens even, beduidde ik de piloot.

In de schaduw van een berg dan toch wat merkwaardigs. De bronbedding van een rivier tussen ruige heuvelkammen, waarin een ronde rots met een clitorale glans. Aha. Daar viel het landschap samen met het symbool van de doorgesneden appel. Verderop een kring loofhutten. *Ici*, riep George, *des Peaux-Rouges*. Toen we er het poppetje van een blanke vrouw tussen zagen, wisten we dat we goed zaten. Als een biddende valk hing de helikopter in de lucht boven het vagijndal.

George, die Indio's niet vertrouwde, wilde niet op het dorpspleintje landen. Beducht voor een onthaal met gifpijlen. We streken neer op een kiezelstrand op een paar honderd meter afstand van de nederzetting. Rondom wallen van lover.

Toen de rotor uitgewenteld was, viel de zware stilte van het oerwoud in. George raadde het af om zonder een bemiddelaar van hun stam te gaan. Het was tegen dovemansoren gesproken. Nu Lucile onder handbereik was, pakte ik resoluut mijn zak met spullen op. *A bientôt, mon capitaine.* Hij zou een halfuur aan de grond blijven – geen minuut langer! Dit moest een bliksemactie worden, maar de gesteldheid van het onoverzichtelijke terrein viel tegen. Het duurde een kwartiertje om het dorp te bereiken door struikgewas aan de rivieroever.

Op het heetst van de dag huisden er alleen wat vrouwen, kinderen en ouden van dagen. De weerbare mannen waren zeker op jacht. Geboft! Ik stak mijn handen op – ongewapend –

trok een glimlach en stevende vol emotie op de blanke dame af. Haast was geboden. Vijf minuten de tijd om haar ervan te overtuigen dat haar enige hoop gelegen was in terugkeer naar de beschaving. Desnoods ontvoeren! Halverwege stokte ik op mijn schreden… die vrouw bleek een inheemse, van top tot teen bedekt met witgrijze as. Er was een rouwceremonieel gaande.

Aan een halfnaakt baasje in het Portugees gevraagd of we hier in 'Ajube' waren. De oude mummelde wat en zijn tanige gezicht vertrok lelijk. Anderen maakten gebaren van opduvelen! Verdwaasd stond ik even te luisteren naar het geschrei, dat al in de lucht was opgevangen. Het klaaglijke geluid kwam ergens uit het nevelwoud.

Moeders met baby's waren op een drafje de hutten in gevlucht.

Tamme ara's en apen krijsten om het hardst. Alleen een paar meisjes met moccapuntborsten, in lendedoek, benaderden de noordeling schuw maar nieuwsgierig. Zo'n witte reus was hier kennelijk geen alledaagse verschijning. Op de vraag of ene 'Lucile Iguana' hier verbleef, piepte de dapperste: 'Ie-goe-wana?' Ze keken elkaar aan, kuchten bleu en wezen één voor één omhoog. Wat, was Iguana ten hemel gevaren? Het is maar de vraag of lieden die hun voorouders als schimmen om zich heen wanen, wel verschil maken tussen leven en dood.

Er bleven nog negen minuten. Hoog tijd om terug te keren naar de heli. Teleurgesteld zwaaide ik de Wapini's een tabee toe. Of was dit een andere clan? Om af te steken naar de landingsplek volgde ik nu niet de drassige oever, maar een pad door het schemerwoud langs de rivier.

Achter druipende bladeren van hoge varens leken er gedaantes te bewegen. Huiverig liep ik een eindje om tussen rotspartijen langs een zijkreek. In de atmosfeer klonk een dof gerommel op – onweer op til? Nee, verrek, de motor van de Hirondelle was weer gaan draaien. Ongerust versnelde ik mijn passen, maar raakte verward in kluwens van slingerplanten. *Hola, capitaine, arretez.* In de herrie kon ik me niet verstaanbaar maken en hij kon me niet zien. Het halfuur wachttijd was om! De wentelwiek deed de kronen van palmen aan het strandje wuiven, dorre bladeren stoven in het rond als confetti.

Volgens afspraak was George Rasta stipt op tijd maar zonder passagier naar de bewoonde wereld vertrokken. Boven de berghelling zwenkte het toestel ronkend af naar het noorden. Allengs werd het een stip in de wolken. De geladen stilte van het oerwoud viel weer in.

Op een kei bij de rivier zeeg ik kreunend van wanhoop neer. Alleen achtergelaten in de groene hel, en dus misschien de volgende vermiste in het mysterie van Iguana. Alsof er een moordplan achter stak… Wedden, dat de piloot onder één hoedje speelde met Willie Samson? Het kon best eens sluwe opzet zijn, dat de 'fotograaf' in Maripasula te laat op het vliegveld was gekomen. Zo hoefde hijzelf geen vuile handen te maken. In dat geval had George iemand die te veel wist, rustig kunnen droppen in de dodenzone – alsof het je eigen schuld was.

Overgeleverd aan de heidenen! Het vermoeden dat Lucile er nog erger aan toe was, weerhield me ervan om bij de pakken neer te zitten. God zij dank was de tas met reisspullen niet in de heli achtergebleven. Er zaten zelfs twee flessen rum in… liever bewaren voor ontmoetingen met inlanders. De overgebleven pinda's stopte je in plastic in je borstzak. Misschien vonden de zendelingen *manna* op hun pad, maar gewone westerlingen krijgen in het tropische bos geen voedsel te pakken.

Om de dorst te lessen, werd het een slok oerig water uit een beekje. Toen ik er aan de oever een handvol uit opschepte, doemde in het water een vreemde tronie op… Goed beschouwd die van mijzelf. Niet meer blond omkranst maar met donker borstelhaar, zonder snor, deed het spiegelbeeld denken aan dat van een demon.

In de middagzon blonk er wat wits op, schuin aan de overkant van de rivier. Het bivak van de Zwitsers? Vanaf een oeverrots viel door de kijker tussen het groen een tentje te zien, met wat wasgoed aan de lijn. 'Ahoi!' Ik floot een paar keer op mijn vingers, zwaaide met de pet, maar kon er van deze afstand geen leven ontwaren.

Uit het Indianendorp verderop klonk tumult op. Misschien het gehuil van rouwvrouwen. Om wie werd daar dan gejammerd? Nou, maar eens bij dat bivak zien te komen. Een oversteek van circa 50 meter moest te doen zijn voor een oud-marinier. Eerst een drijver van bamboe en repen bast snijden om je tas droog te houden. Een tijdrovend werkje. De stroming bleek in het midden van de rivier sterker dan verwacht. Wat een misrekening! Lelijk afgedreven, kroop ik ten slotte ver voorbij het bivak hijgend en druipend aan de wal.

Een schrale troost, dat het paspoort droog gebleven was in een waterproof beurs. Papier was hier goed om een vuurtje van te stoken. Waren we nu nog in Suriname, of op Braziliaans grondgebied? In alle haast vergeten om een kompas aan te schaffen. Luciles pendel nog eens geprobeerd als richtingwijzer. De steen zwaaide zwakjes in het rond, vanzelf, of anders wel door koorts die doorklopte tot in je vingertoppen.

Aan één stuk door tjirpte er een koor van cicaden. Een folterend geluid! *Fuck the forest.* In deze contreien, net een hellewoud, was het oppassen voor tropenkolder.

De oever was zo dichtbegroeid dat je dwars door de rimboe terug moest. Daar leek het wel een broeikas. Onder de kruinen van woudreuzen hing een benauwde stilte. In schemerlicht lag op een wildpaadje iets dat op het lijk van een kind leek. Bij nadere beschouwing eerder een buitenaards wezen... aan zijn handen haken in plaats van vingers. Dood? Het groenharige lijf was nog niet koud, maar ja, overdag bleef hier alles warm.

Die vondst plaatste de zaak in een ander licht. Het scheen niet zozeer om hout of delfstoffen te gaan, nee, om landingen van Ufo's in deze godverlaten streek. Laat liggen dat lugubere wezen!

Het oerwoud deed zich voor als een veelkoppig monster met armen van lianen. Een geklauwde struik scheurde je shirt open. Voor de indringer uit vloog een vogel met gele wieken, soms wachtend, dan weer van tak tot tak verder hippend. *Kiejoe, kiejoe.* Die leek je naar het duistere hart van de wildernis te willen lokken. Het riviergeruis viel nog vaag te horen, ja, maar aan bakboord of aan stuurboord?

Toen ik het nare gevoel van verdwalen kreeg, weerklonk de stroom weer sterker door het geboomte. Achter blokken bazalt op een kiezelstrandje doemde het bivak op. Het wasgoed hing er nog aan de lijn. Een roze onderbroek zonder gulp, groot formaat, naast twee grijze overhemden met witte boord. De tent bleek verlaten. Gezien een halfvol bordje met muesli leek het alsof de Hernhutters waren gestoord bij hun ontbijt. Het rook er naar jodium. De bosmieren waren al druk bezig met de herovering van deze westerse voorpost in El Dorado.

In de damp van de Alama glanste die ronde rots in de stroom dof op als een parel, zo groot als de schedel van een reus. Maansteen? Tussen plooien van ruige oeverwallen, geurend naar amber, openbaarde *madre Terra* zich in een geheim onderdeel van haar anatomie. Zeker om ruimtevaarders aan te lokken. 'Ach, onzin!' Die uitroep werd beantwoord met een schor geblaf in de verte.

Wat beweging aan de overkant van de rivier. Door de kijker bezien: drie roodbruine vrouwen, water tappend. Met hun gladgeschoren kruintjes leken het wel naakte nonnen. Ieder nam een kalebaspot op de schouder, en met zwikkende billen liepen ze in ganzenmars het woud in. Dat zou een mooie fotoshot voor Willie Samson zijn geweest.

Uit de bush klonk af en toe een getrommel op. Feest of oorlog? In de bagage van de Zwitsers waren geen andere wapens te vinden dan een rozenhouten kruis en een flitspuit. Voorts wat polaroidfoto's in een envelop. Herr en Frau Hulvig in het dorp van loofhutten, Lucile in safaripak naast een fiere knaap met veren in zijn hoofdband. Een vriend? Ik scheurde die Adonis eraf, en stak haar foto op zak als een recente afbeelding van de gezochte.

Met excuses een pakje muesli ingepikt als leeftocht.

In een blocnote een geschetste kaart van de omgeving; *Dorf der Wapini ins Hochlanddschungel am Grenze Nord-Brasilien.* Ook rekeningen en een staatje van afgeturfde proviand. Op het laatst beschreven vel, ah, een spoor van de Waalse. *(…) Samstagmorgen 21/4 früh ist Fraulein L.M. uns kommen sagen das sie ganz allein der Berge aufgeht; offenbar irrsinnig, haben wir ihr davon leider nicht können abhalten.* Dat was dan vanmorgen geweest. Hoop op leven! Nu werd het duidelijk wat de Indio-meisjes hadden willen zeggen met hun naar boven wijzen. *Senhora Iguana* had zeker hoger sferen opgezocht.

Met de kijker speurde ik de berg af, naar schatting een meter of vierhonderd hoog. Een kegel van graniet met begroeide hellingen. Als stippen cirkelden twee vogels om de kale piek onder wolkenflarden. Arenden of condors. Als het aaseters waren, wel, dan vlogen ze hier misschien rond in de verwachting van een maaltijd. Zonder rustpauze zette ik me aan de bestijging.

De vraag was of in de equatoriale wouden van Zuid-Amerika mensapen leven. Biologie was op school het zwakke vak. Halverwege de helling bij de boomgrens woog ik een gevonden schedel op mijn hand. Formaat kokosnoot. Als dit geen grote aap was geweest dan misschien een vrij klein mens… Aan Lucile denkend, meende ik iets als een S.O.S-signaal op te vangen. Mijn vingers gleden naar het leguaanleren builtje onder mijn doorweekte shirt om er op in te tunen. Ja, hallo! Als respons slechts een zwak *tjoekoekeroe* uit onbestemde richting. Straks raakte de 'batterij' leeg en verloor het ding zijn toch al geringe waarde als zender.

In het murenegruis zat ik even uit te puffen van de klim. Ergens in de buurt klonk een geruis op. De schedel zette ik op een blok als baken, en sjokte op dat geluid af. Het bleek afkomstig van een kleine cascade, in een rotsvijver gutsend. Tegen zonsondergang huilde de föhnwind zachtjes om de piek.

Kijk uit! Achter een stapel keien lag een slang van ruim een meter lengte. Sissend hief hij zijn kop op. In paniek smeet ik 'm de zaklamp toe… mis, die kwam in de vijver terecht en ging met een plons verloren. De steenadder schoot na een korte aarzeling in een spleet. Tol betaald.

Achter het watergordijn ging een grot of een oude tinmijn schuil. In de ingang eens geroepen: 'Lucile… Iguáána!' *Anaana* zo echode het door de schacht. Binnen was het pikdonker. Het aanstekervlammetje bleek te zwak om bij te lichten. Rond de vijver viel zo gauw geen spul voor een fakkel te vinden. In het tanende daglicht sjokte ik terug naar de schedel, om er een lamp van te maken. 'Sorry.' Bij gebrek aan olie ging er een pluk droge distels en een prop wortelhout in als brandstof.

Bij donker afdalen was ondoenlijk – er zat niets anders op dan hier te overnachten. In de krocht gaf geel licht uit de oogkassen enkele meters zicht. Er hing een bedompte lucht. Dieper in de schacht zoog tocht langs de grond, alsof er een uitgang was. Kijk, wat aan de wand. In het schijnsel tekenden zich poppetjes met sprieten af onder een ballon of nucleaire paddestoel, in graniet geëtst.

Rook uit de doodskop deed hoesten – *haf, haf, haf* weerklonk de echo. Elke zucht en elk gegrom richtte zich tegen jezelf. Verderop hingen er vleermuizen aan het gewelf. Punten van stalagmieten dansten op en neer in het flakkerlicht, schaduwen gleden als schimmen door de spelonk.

Toen het licht van de lampion om de hoek van een zijgang gleed, snerpte er een kreet op, gevolgd door een doffe plof. Iemand was in zwijm op de grond neergezakt! Roerloos lag die persoon achterover op de rug – mager, een kale kruin, de ogen dicht. In het vale schijnsel stak een dunne neus uit een smal gezicht. Een Indio? Beduusd schudde ik hem aan de schouder. 'Hé, hallo!' Misschien had hij de lichtende schedel voor het bakkes van de duivel aangezien, en schrok zich dood.

In het verzwakkende lichtje leek de ander al te vergrauwen. Buiten de zijgang ving ik wat sijpelwater op in mijn zakdoek. Bij terugkomst bleek de stille grotbewoner weg te zijn, opgelost in het duister.

Stinkende walm uit de knookkop deed kuchen en tranen, het bot schroeide en werd gloeiend heet. De 'lampion' nu maar achtergelaten. Op de tast ging het schuifelend langs grillige wanden terug naar de toegang. Het werd een kat- en muisspel. Na wat blindelings rondscharrelen, schopte je plots een hol kinkelend ding voort. Die kop! Zeker in een kringetje gelopen. Een glibberig pad liep dood op een muur van keien. Bij een poging om de gok in de andere richting te wagen, stond ik opeens tot aan mijn middel in water. *Shit.* Aan de overkant van de onderaardse beek kroop ik druipend aan de wal.

De gedachte aan pleuris riep een schrijnende herinnering aan de kermis in Emmeloord op. Toen broer en zus Schut het spookhuis verlieten, waar skeletten waren opgeflitst, rook Sijtje naar pies. Je hele avond verpest. Met haar natte broek moest ze achterop de brommer naar huis worden gereden over een ijzige polderweg. Ze liep longontsteking op en lag een weeklang met hoge koorts in bed.

De pijnlijke herinnering deed me kreunen. Ik stond maar op om niet te gaan janken. Het was zinloos om verkillend de dag af te wachten – morgen zou alles nog even zwart zijn. Hier bleef het eeuwig nacht.

Op de tast krabbelde ik wat terug of wat verder de doolhof in. Een holte in het graniet bleek een doorgang. Welaan. Met de armen voor me uit zwaaiend, kroop ik voorzichtig door de tunnel. Na wat bochten ging de bodem afhellen. Met de ene hand tastte ik de wand af, met de andere meter na meter de steengrond. Greep ergens in iets zachts – een pad? Het voelde lauw en glad aan. Het bleek vast te zitten aan een enkel. In het besef dat het een *voet* was, liet ik die met een kreet los en vloog overeind. Kánggg.

Bij kennis gekomen, lag ik languit in het donker. Kou uit een ruwstenen vloer had mijn rug doen verstijven. Hoofdpijn. Op mijn kruin liet zich een bult met geronnen bloed voelen. Zeker een slag gekregen – van wie? Ik wist alleen dat ik per ongeluk iemand had aangeraakt, de een of ander gluiper die zonder waarschuwing toesloeg met iets hards. Een vage fosforgloed verderop deed denken aan de weerschijn van de hel. Dizzy krabbelde ik overeind, en stootte prompt mijn schedeldak. Gelukkig minder hard dan de eerste keer. Dus geen klap gekregen, maar zelf tegen het lage wulf van de schacht opgesprongen! Die 'gloed' bleek te uitgang van een spelonk te zijn. Daglicht, frisse lucht.

Buiten lag de berghelling in de stralen van de rijzende zon. Beneden dampte het dal van de Alama-rivier in de ochtendnevels. Onder de bergtop blonk een plat vlak op. Dit plateau zo groot als een tennisbaan, gemarkeerd met keien, zou een landingsplek kunnen zijn. Onder het platform klonk het geplens van de cascade van gisteravond op. Een meter of tien lager lag de rotsvijver. *Ssst*, er zwom iemand in het bruiswater rond. Een ventje met een kale, roodbruine kruin – degene die 's nachts in de grot had rondgespookt? Hem wachtte een verrassing.

Er pal naast in de vijver gesprongen, plonsde ik in het water neer en steeg in een werveling van bellen op. Nu was de ander onder. Toen hij bubbelend oprees om lucht te halen, strekte ik mijn hand uit en greep in iets weeks. Een tiet? Verbluft liet ik los om het vrouwmens, dat was het, met een gestameld excuus aan haar oksels op de kant te helpen.

Zij veegde een algsliert van haar gezicht af, knipperde met haar wimpers en zette grote ogen op.

'Aààh… Herman!'

Met een kaal kruintje en roodgeverfd vel, naakt, leek de Waalse weduwe net een inheemse. Ontpopt tot bosmens. Zij op haar beurt had je met bruin borstelhaar en zonder snor ook niet direct herkend. Wat een emoties! Tussen varens naast de waterval gingen we erbij zitten om van de schrik te bekomen en ons te verheugen in ons weerzien. Het letsel viel nogal mee. Zij had alleen een blauwe plek boven de keep in haar gladgeschoren venus opgelopen, ik een geschaafde duim.

'Het spijt me, Lucie, ik hield jou voor een valse grotbewoner.'

'Frappant,' peinsde ze narillend, 'vannacht werd ook ik in de spelonk geconfronteerd met iets met vurige ogen.'

'Dat was ik.'

Met open mond hoorde ze toe hoe je met een schedellamp in de grot rondgedard had. Ze hield zich dood als een leguaan. Na een doorwaakte nacht kon ze 's morgens het angstzweet gaan afspoelen in de 'jacuzzi'. En plóns – nu belaagd vanuit de lucht! Haar zenuwgestel, al zwaar beproefd, had niet veel meer kunnen verdragen.

In het Wapini-dorp, zo vertelde ze, vond op een zekere avond een mysterieus sterfgeval plaats. 'Nadat Yepe, een der ouden, tijdens de sterrendans dood neergezegen was, bezagen de dorpelingen mij als een heks… tevergeefs heb ik trachten te bemiddelen in het conflict tussen hen en de zending.' Het clanhoofd wimpelde het evangelie stug af als een ontastbaar geschenk. De Hernhutters, die zich beschermd voelden door God, maakten zich geen zorgen zolang Lucile de 'heidenen' maar niet aanstak met ketterse ideeën. Alleen Chimôc, zoon van de leider, schaarde zich aan haar kant. 'Terwijl de anderen rouwden, nam hij me mee naar een ceder om op een imposant tafereel te wijzen: twee *boa's*, verstrengeld om een zijstam in het lover… in hun paringsspel zijn die fraai getekende slangen één met elkaar en met de entourage.' Zo moest ook zij één worden met de jungle alvorens de Wapini's haar als een der hunnen zouden beschouwen. En, raakte die jongen niet van de kook?

Blozend draaide ze haar blik weg. 'Ze zijn stoïcijns.'

Tot dusver verkoos ze het om zich te bedekken met textiel, in contrast met de andere vrouwen. Een sociale barrière. Bij terugkeer in het dorp droeg Chimôc haar over aan de oude vrouwen van Ajube. Na een rookbad werd ze uitgekleed en geëpileerd met schelpen. De pijnproef! Ze verfden haar met de kwast van een apenstaart rood met *onoto*, een zonwerende verf. Nu hoopte ze tot de clan te behoren, maar de dorpsraad besliste dat ze eerst een initiatietocht moest volbrengen: een etmaal alleen en zonder voedsel de berg op.

'Ah, op die manier.'

'Misschien hopen ze dat ik niet terugkeer van de beproevingen.'

Dan zouden ze niet de enigen zijn. 'Enfin, rode zuster, ik heb jou gevonden hè.' In plaats van een warme omhelzing kwam er in alle verlegenheid slechts wat geslik en een schouderklopje van.

De sfeer op Pico Chucuchi in het morgenrood neigde naar trekkersromantiek. Hoe aardig zou het geweest zijn om haar een ontbijtje aan te kunnen bieden. Na ons 'bad' was het pak muesli in je borstzak tot pap geworden. O, daar zat ze niet mee. Uitgehongerd van het vasten, lepelde madame de brei verlekkerd met haar vingers op. 'Hmm, delicieus.' Na de laatste slurp liet ze een boertje, klopte op haar buik, en wierp zuchtend een blik op haar amulet om mijn nek.

'Ik voorvoelde al dat ge mij zocht, amice.'

'Ja?'

Ze knikte en loosde een zucht.

'Ge zijt geblesseerd, hè.'

Geringschattend bezag ik het vleeswondje in mijn duim, maar zij wees op infectiegevaar in de tropen. 'Leg uw hand maar eens even op een steen.' Zonder blikken of blozen hurkte de vrouw er boven om de snee te ontsmetten met een straal urine. Op z'n Indiaans! Een chique vrouw die na een paar weken tussen de inlanders al gespeend was van ethiek – waar moest dat heen?

Zo ging de romantiek eraf. Zij rook zurig naar rode huidverf, die watervast bleek te zijn. In de menie gezet, wilde ik vragen maar slikte het in. Haar billen leken nu wel een paar bouten mager rookvlees. Enfin, ze was nog in leven! Mijn genegenheid voor 'Iguana' slingerde tussen broederlijke gevoelens en de passie van het Wilde Zuiden in. Om een persoonlijk gesprek te omzeilen – dat kwam later wel – richtte ik mijn kijker op de vallei.

Bij het Wapini-dorp kringelde wat rook tussen het geboomte op. Aan die kant van de rivier lag het Zwitserse bivak al bijna in de schaduw van de berg. Het wasgoed hing er nog steeds aan de scheerlijnen.

'Laten we maar afdalen naar de mensenwereld hè, rode zuster.'

Met een mengeling van afkeer en deernis bezag ik door mijn wimpers de dame uit Brussel na haar gedaanteverwisseling. Haar kaalgeplukte kruin alsof ze een hoog voorhoofd had gekregen, gaf haar een primitieve statigheid. Een heks met de ogen van een godin. Frank en vrij maakte ze enkele passen in de lauwe bergwind. 'M'n proeve is volbracht, amice… thans ben ik een *Wapini*.' Het scheelde weinig of ze maakte in haar enthousiasme een schuiverd in het morenegruis.

'Kalm aan, meid, daar beneden lag gister een verongelukte *alien*.'

'Heus?'

'Ga maar na, groenharig en haken in plaats van vingers.'

Volgens haar een *ai* met bealgde vacht die ondersteboven hangend in de boomkruinen leeft, de 'luiaard'. O. Gaandeweg werd de atmosfeer drukkend. Ergens zoemde wat. Het geluid vibreerde langs de boshelling, iets als een vliegtuigje maar niet zichtbaar. Vanuit het zuiden dreef een front van donkere wolken aan. Boemmm, zo sloeg de bliksem in de piek. Verschrikt hielden we ons even aan elkaar vast. Op deze hoogte klonk de donder anders dan in de vallei – op de berg dreunde de kracht van het heelal erin door.

In een hoosbui, soms meer glijdend dan lopend, daalden we hand in hand af.

Aan de voet van de berg stond de rivier al hoog gezwollen. We moesten een stuk een volstromende zijbedding volgen. Daar waar het water ons tot het middel reikte, werd de stroming zo sterk dat ik haar maar op de schouders nam. Ze mocht niet voor de tweede keer wegspoelen! Het gevaar van sleurend water scheen haar te ontgaan, want ze kraaide erbij van plezier. Als het bivak maar niet verdween! Dat wat vandaag een vaste oever was, kon morgen wel eens rivierslib zijn.

Na afloop van het onweer dreven de wolken over het gebergte heen. De lucht klaarde op. Daar waar het dampgordijn uiteen week voor een briesje uit het dal stond de tent van de Hernhutters na te druipen in het doorgebroken zonlicht.

God mocht weten wat er met de evangelisten was gebeurd. Als de roden hun uit de weg geruimd hadden, zou ons een zelfde lot beschoren kunnen zijn. Het was zaak om hier weg te komen, maar hoe? Het hoogland was te voet onbegaanbaar en wij hadden geen kano om de rivier af te zakken. Er zat niets anders op dan een vlot te bouwen. Voor het fatsoen pleegde ik eerst overleg met mevrouw Maghales. Nu ja, mevrouw… in haar nakie zat ze in de tent in haar schrift te krabbelen.

'Pardon, zus, mag ik even binnenkomen?'

Met afgewende blik legde ik haar het plan voor, maar ze wenste in Ajube te blijven. Wist ze dat hun expeditie werd vermist? 'Gunst,' zei ze, 'gisterenochtend waren wij hier nog alledrie.' Dan kon er weleens een vals bericht zijn verspreid.

'Onze radiozender is allang defect, amice.'

Hopelijk kregen de Zwitsers aanwijzingen vanuit den hoge. Wij moesten ons om ons eigen lot bekommeren. Wat eerst: een vlot maken of die radio repareren? Terwijl ik uitging van het *worse case scenario* meende zij dat de Indios niet slecht waren. Ze zouden systematisch zwart gemaakt worden door lieden die aasden op hun erfgrond. Rotsig, woest begroeid onland. Maar als hier nu eens goud, diamant of uraniumerts in de grond zat? In dat geval was het een politiek kruitvat.

Op een welhaast mythologische wijze weer verenigd met de Hollander, hoop ik dat hij hartentaal zal spreken maar hij doet kortaf, alsof hij niet zozeer gedreven werd door amoureuze motieven. Overigens weet hij wie de barbiche is die me achtervolgde: Willie, een geneutraliseerde Belg, die hij onderweg 'uitgerangeerd' heeft. Hij geeft alleen de wens te kennen dat ik kleding draag. Ach, wat, sinds de Zwitsers perdu zijn heerst hier geen naakttaboe meer; terwijl hij in klam textiel rondsjokt, broeiend & schrijnend, is mijn onbedekte huid vanzelf gedroogd. Apropos, heden is het 'Lluna lena', de datum van het maanfeest; vol verwachting zie ik dan ook uit naar de avond in het dorp aan genezijde.

Ter zake. Was ze nog in het bezit van juwelen? In een regio waar papiergeld niks waard was, hadden we goud of robijnen nodig om voort te kunnen. Gelukkig had ze in de grenspost haar smuk teruggekregen en die ter bewaring aan de Hernhutters toevertrouwd. 'Goed ingepakt?' Ja knikkend, diepte ze uit de bagage een koker van krokodillenleer op. Helaas wel geleegd tijdens onze afwezigheid.

'Pfoew, zus, wie kan dat geflikt hebben?'

De Wapini-clan kende volgens haar het begrip stelen niet, die námen iets gewoon als ze het nodig hadden. Apen dan? Nee, daarvoor was het te netjes gedaan. Hoofdschuddend klikte ze met haar tong, maar scheen het toch niet als een groot verlies te ervaren. Haar humeur leed er niet onder. De behoefte aan weelde had ze afgelegd als oud ondergoed.

Tegenover elkaar gehurkt zaten we aan de thee, een *Homo ludens* en een *Homo technicus*. Innerlijk zo verschillend als kat en hond. Nu je haar gevonden had, was ze zo goed als onbereikbaar in haar holistische universum.

Bij het uittesten van de radiozender bleek het apparaat niet defect, alleen de batterijen waren leeg. Geen contact met het basiskamp mogelijk. Verstoken van moderne communicatie, moesten we onze gedachten nu laten gaan over middelen als de tamtam of duivenpost. Me haar pendel herinnerend, haalde ik die uit mijn beurs en gaf haar het 'instrument' met een flauwe hoop terug. Kon zij er wat mee uitrichten? Gevoelsmatig liet ze de agaat aan het kettinkje bungelen. Buiten de tent gehouden, cirkelde de steen uit, wat haar een kreetje ontlokte.

'Wat is er, goud in de bodem?'

'Veeleer kwik van gouddelvers bij de bron… er zal iets moeten gebeuren voordat de ganse Alama wordt vergiftigd!'

'Tja.'

Onder de bomen aan de overkant van rivier roerde zich rond het middaguur mens noch dier. Was het al te laat? De oerwereld van Tumukhumac leek nog het meest geschikt voor beesten met schubben. Alleen mensen met praktische kennis van de natuur, zoals de inheemsen, konden het hier uitzingen. In dit opzicht had Lucile Iguana een streepje op je voor. Straks moest zij nog voor haar 'redder' gaan zorgen… Och, haar *woodcraft* stoelde op boekenwijsheid, en misschien enige ervaring als akela van Scouting Leuven in de Ardennen.

Samenwerking was het parool.

Na het gerommel van donder in de verte zwegen de krekels even. Geen zuchtje deed de bladeren aan de bosrand ruisen. In die geladen stilte steeg uit het nevelwoud de cadans van trommels op. Na het middaguur werd het in de tent om te stikken van de hitte. Buiten was het nog minder aangenaam wegens de steekvliegen. In vredesnaam nam ik het schone overhemd van de dominee nu maar in bruikleen, grijs katoen met een witte boord. Dat gaf wat cachet. Verwonderd vroeg rode zuster wat je van plan was – toch niet om de clan bekeren tot het christengeloof?

'We moeten de Zwitsers zoeken, en navraag doen in het dorp.'

Ze zuchtte eens. 'Dat vrees ik ook.'

Hoopvol keek ik op. 'Wil jij niet meer terug onder de wilden?'

'Jawel, amice.' Een diepe zucht. 'Echter, Chimôc, de zoon van de capo is geloof ik verliefd op me geworden, en die kon m'n terugkeer wel eens veelbelovend opvatten.'

Huiverig vleidde ze zich even tegen haar ijsbeer aan. Het werd tijd om schoon schip te maken. Op de vraag of ze nog wat te verruilen had voor een kano keek ze met een zielig lachje op. 'Niets dan mijzelf.'

'Dan ben je een slavin, gekkie, dan beschouwen ze jou als hun bezit.'

'Wapini's koesteren geen eigendommen… alles is van iedereen.'

'Communisme?'

Een politiek gesprek liep al gauw uit op onenigheid. Toen ik er voor uitkwam, dat ik meer aan de kant van de zending stond dan van eco-freaks ging haar onderlip trillen. Ze had zich in je vergist. *Adieu,* zei ze teleurgesteld en kroop snikkend op handen en voeten de tent uit. Aan haar voet sleepte ik haar terug. Binnen konden we niet gezien worden vanaf de andere oever. 'Zonder gezichtsdekking vormen we een schietschijf, schat.' Nu ik haar te pakken had, wilde ik haar niet meer kwijtraken voordat ze verpakt in textiel op het vliegtuig naar Brussel was gezet.

Maakt kleding niet het verschil uit tussen wild en beschaafd?

Na wat soebatten liet ze zich ervan overtuigen dat ze zich moest beschermen tegen de tropenzon. In elk geval haar kruis bedekken. Straks kroop er een duizendpoot in de holte van haar edele delen! Een koord aan een riem geknoopt kon wel als tanga. In godsnaam haalde ik de grote onderbroek van Frau Hulvig maar van de scheerlijn af. Met het schaartje uit haar garnituur verknipte ik de roze directoire tot een slipover, die haar schouders en borsten bedekte. Kortjakje in het slangengras.

In de bush van Tumukhumac, ver van elke winkel, hadden doodgewone dingen een hoge waarde. Een stukje zeep was hier *super de luxe*. Zonde om een paraplu, ook bruikbaar als parasol, onbenut te laten. Het een en ander kwam ons goed te pas. Uiteraard gingen we niet zo ver dat we de hand legden op alle spullen van de Zwitsers. We mochten de hoop niet opgeven. Wel verstandig om hun kapmes, onmisbaar, maar alvast even scherp te slijpen op een oeverkei.

Terwijl ze het een en ander in haar journaal schreef, leestaal, zinde ik op mogelijkheden om het na te kunnen vertellen. De Indio's zouden ons niet zomaar een kano geven. Er zat niets anders op dan ter plekke een vlot te bouwen en samen de rivier naar Quamal af te zakken. Toen ik sip bamboe wilde gaan kappen, klonk er een verrast kreetje uit de tent op.

'Aha, Herman, een *bijou.*'

In haar leren toilettasje, versmaad als ding van de bourgoisie, zat een ring van platina ingenaaid. Helemaal vergeten! Haar moeder had haar die bergplaats ooit aangeraden als reserve voor onderweg. 'Mama was van origine een zigeunerprinses.' Vandaar de reislust van de dochter.

'Zeg eens, Lucie, wat heeft Michaël er eigenlijk mee te maken?'

'Hee, kent ge m'n broer?'

'Alleen van 'n telefoontje. Het kwam me voor, dat hij niet zo zwaar aan het lot van zijn zuster tilde.'

Ze zuchtte diep. 'Michaël aardt naar wijlen onze papa, namelijk een pure materialist, en als directeur van een commerciële news-agency mag hij ons familiekapitaal beheren.'

'Uhhh, is hij de mede-erfgenaam?'

'Jawel.'

Zo, na haar dood zou Michaël dus de volle mep kunnen vangen. Hopelijk een aardige heer. Met omfloerste stem begon ze aan een familieverhaal vol tragiek en 'comfortabele leegte' in de saaie salons van het Brusselse zakenmilieu. In het verleden starend, merkte ze niet dat er een spin naar haar tenen kroop. Geen grote maar wel zwart – een *black widow?* Het beestje voor alle zekerheid maar even vertrapt. Als je beschermeling hier stierf, hoe dan ook, wie zou men het dan in de schoenen kunnen schuiven? En dat niet alleen. We waren nu eenmaal samen in zee gegaan – samen uit, samen thuis.

Na het middaguur ging alles jeuken. Zo langzamerhand moest het ergste voor de Hernhutters gevreesd worden. Mochten ze naar de hemel zijn geholpen, jammer, maar dan waren zij van hun zorgen af. Wij moesten om onszelf denken. De Waalse fee scheen zich van geen kwaad bewust te zijn. Besefte ze niet dat zij, door de Indio's op te juinen tegen de Zwitsers, wel eens medeplichtig kon zijn aan moord? Het werd tijd om een hartig woordje met haar te wisselen.

'Hoor eens, kind,' zei ik met een hand op de hare, 'ga nou maar liever vanavond niet naar die *indian-party* toe.'

'Waarom niet?'

'We moeten weg wezen… ik vrees dat er een prijs op je hoofd staat.'

Ze keek ervan op. 'Ik dacht dat ge niet zo vreesachtig was.'

Ik haalde mijn schouders op. Als de Hernhutters wegbleven, had onze Lieve Heer hier weinig meer te zoeken. Dan werd het afwachten uit welke hoek de wind kwam. Zij had echter een redelijk en zelfs zwaarwegend motief om straks het *Llena luna*-feest bij te wonen.

'Daar ben ik in eerste instantie voor gekomen, mon ami, ik hoop er m'n proefschrift op te kunnen baseren.'

'Hm…'

Stel je voor: doctor Maghales. De diverse namen die bij de aspecten van haar persoonlijkheid hoorden – Lucile, 'rode zuster', Iguana – verhulden haar wezen. Zoals kwik kon ze elke gewenste vorm aannemen. Er viel geen vat op haar te krijgen – net Sijtje. Madame zette alles op het spel om haar idealen na te jagen, zelfs haar leven.

'In Ajube worden alleen de zwangere vrouwen ten volle gerespecteerd,' zei ze bezorgd. 'Oh, was ik maar alvast zwanger.'

'Dat komt daar vanzelf wel.'

Nu haar broer niet goed op haar bleek te passen, moest ik het wel doen. Veel ervaring mee. Weemoedig liet ik los, dat ik vroeger op een oudere maar ietwat onnozele zuster moest letten. 'Ah,' zei ze opgelucht, 'ge bent niet van de *Sécurité*, hè.' Helaas niet. Dan had je er nog wat anders mee verdiend dan alleen maar het sussen van je geweten.

Ze keek me schouwend aan. 'Vandaar zeker die *white lies*.'

'Tja, uhhh, om bestwil spiegelde ik Sij sommige risico's wel eens uitvergroot voor.'

Rode zuster zou eens moeten horen hoe je onze escapades aan de bar van *De Boey* op z'n Urks zou vertellen. Noem het visserslatijn. Maar ja, het hing er vanaf hoe deze affaire afliep. Hopelijk niet op een dof uitgesproken grafspreuk. Het werd tijd om schoon schip te maken.

Een poging om haar in te palmen met zeemansromantiek stuitte op het koosnaampje 'Lucy'. Volgens haar het fossiel van een aapmens in Afrika. Al miljoenen jaren dood maar in de annalen voortlevend als de schakel tussen primaten en hominiden – iets van dien aard. Ze voelde zich niet gestreeld.

'Ik mag jou graag, Lucile, maar ik begrijp je niet… een rijke vrouw, in armoede levend in een uithoek van de wereld.'

'Bovenal streef ik naar geestelijke rijkdom.'

'Tja, uhhh, maar wat vindt je familie daarvan?'

'M'n ouders zijn overleden bij een brand in hun villa, amice, en m'n broer kijkt nergens meer vreemd van op.'

'Misschien wél als hij hoort dat jij het erfkapitaal wilt verkwisten!'

Lucile Iguana was meer begaan met het lot van de wereld dan haar eigen welvaren. Het geloof in 'het goede' gaf haar ogen een glans als die van een martelares. Had ook Jeanne d'Arc niet een geschoren kruintje? Stil luisterde ze even naar een getrommel in de rimboe. 'Misschien beter dat ge terugkeert,' verzuchtte ze, 'tenzij ge geneigd bent om te indianiseren.' Een man in het overhemd van een dominee zou in die vrijgevochten clan niet hartelijk worden ontvangen.

'Een zeerob wordt nooit een bosbewoner, lieve meid.'

'Hoe jammer, Herman, want ik heb nog wat *onoto*-verf over.'

Schalks wilde ze me een lik rood op de wang smeren, maar nee-schuddend weerde ik haar hand af. Geen clownerieën! Van het een kwam het ander – het draaide op een stoeipartijtje uit. Tegen wil en dank raakten we speels. Nu de luim eens even door de ernst heenbrak en een schaterlach de sfeer in de tent deed opklaren, lagen we te ravotten als twee pubers. Het gekraai was niet van de lucht. De in haar lenden gekietelde 'dame' lag te spartelen en te gillen van de griezelpret. Op dat moment bewoog de tentflap. Door de opening, opzij geschoven met de loop van een pistool viel er een straal daglicht naar binnen.

'Toedeloe.' Buiten hurkte een vent in een army-cape neer. Grijnzend schoof hij zijn kap omlaag. Een tronie met een mopsneus, ros ringbaardje en een gecoate bril met stalen montuur. 'Sorry, ik meende hier hulpkreten te horen.' De Waalse squaw zat met stomheid geslagen. Er was geen tijd om ons wat te fatsoeneren.

Verontwaardigd trok ik de plooien in het domineeshemd recht, en kroop de tent uit. 'Hee… Willie Samson.' Het geronk van daarstraks was dus een helikopter, die de 'fotograaf' in de buurt had afgezet. Druipend van het slijk maar zo taai als een jachthond kwam hij nu een dag later aanzetten.

Met een knipoog op de halfnaakte vrouw: 'Ah, roodwild hè.'

'Wat moet dat?' vroeg ik met het oog op zijn vuurwapen.

Achteloos stopte hij het ding achter zijn riem. 'M'n seinpistool, bij wijze van blitslicht.' Puffend wrong hij zijn zweetsjaaltje uit.

Iguana stak haar rode nonnenkopje uit de tent en keek knipperend op. Achter mijn hand lispelde ik haar toe: 'Sst, doe alsof je Indiaans bent.' Zij hoefde niet te weten dat haar *terminator* was gearriveerd – of kwam de 'barbiche' om haar te beschermen? Het zou moeten blijken. Ik speurde de oever af en wenkte hem in de schaduw onder een boom aan de bosrand, waar hij op zijn rol touw ging zitten.

'Zeg, Willie, hoe heb jij deze plek eigenlijk kunnen vinden?'

'Ik wist 't van de piloot van Héli-charter.' Zijn gezicht betrok. 'Die rastafari heeft lekker aan ons verdiend… we zouden fifty-fifty gaan.'

'Ik wilde er geen pers bij, man, lazer op, gefotografeerde wilden kunnen erg boos worden!'

'Tuttut, ouwe pikbroek.'

Hoe wist hij dat je een zeeman was – het was hem nooit met zoveel woorden gezegd. Jammer dat je de bemoeial weg moest jagen. Zijn aanwezigheid in dit ontvlambare gebied zou funest kunnen zijn. 'Kom op, Willie, dan vechten we het uit op de steiger!' Terwijl ik met grote passen voorging naar de oever gleed er een lus om mijn schouders. Die van een lasso. Met een ruk die me tot staan bracht, werden mijn armen om mijn romp gesnoerd.

'Ga maar weer fukki-fukki doen, meester.'

Hij trok me terug naar de tent, en duwde me naar binnen. Verschrikt sperde Iguana haar mond open… *Ssst*. Een machinist, bekend met handseinen, en een logopediste konden praten zonder woorden. Mondje dicht. Onze conversatie was meer die van geesten dan van mensen.

Hij die zich *willie* noemde, schoof de tentflap op en hurkte in de opening neer. Tikte op zijn horloge. Schamper wees ik op de lasso om zijn schouder. Zeker cowboy geweest. 'Ja,' zei hij, 'namelijk als Billy the Kid in de Zoeloe-show… m'n vader was circusdirecteur in Kaapstad.'

'Ben jij van oorsprong een Zuid-Afrikaan?'

'Toen de zwarten zich gingen roeren, zijn we naar Breda verhuisd.' Hij nam Iguana op door zijn oogharen. 'Wat anders, zou je liefje even willen poseren?'

'Ze is schuw voor vreemden.'

'Wel een rare,' bromde hij, 'nog vrij jong maar de klets-kop van een rode abdes.'

'Tja, de folklore… hopelijk heb jij een retourvlucht gere-geld.'

'Voor hoeveel personen dan?' Grimlachje. 'Ik ben op de bonnefooi gegaan.'

Goed om te weten. Wanneer dit heerschap hier verdween dan zou er geen haan naar kraaien – maar ja, dit gold voor ons alledrie. Voorlopig waren we op elkaar aangewezen. Punt één was de terugtocht. Een vlot bouwen, zou te lang duren. Een bootje van de dorpelingen los zien te pingelen? Willie likte rustig wat coca van zijn handrug, smakte eens, en haalde glimlachend een opgerold jaguarvel uit zijn rugzak.

'Hiervoor doen ze 't wel, meester.'

Iguana kreunde en sloeg haar handen aan haar mond. Om te horen wat ze op haar lever had, zei ik Willie op een schertstoon: 'Ze moet even uitgelaten worden.' Met toege-knepen ogen keek hij ons na, hoe we hand in hand het pijl-riet in schuivelden. Nou? 'De jaguar is nota bene hun *totem-dier…*' Een mooie manier om van Willie af te komen, dat wel.

Op het rivierstrandje maakte hij zich fluitend op voor veldwerk. Vermoedelijk stond hij aan de kant van het groot-kapitaal. Alsof Iguana die gedachte raadde, schoof ze met haar duim langs haar wijsvinger. 'Wellicht kan ik monsieur voor onze zaak winnen.' Onze zaak? Ach, de missie zou hier méér bereiken met ouwel en bidprentjes.

Als 'rode zuster' zich nu maar bewust bleef van haar mimicri!

Met een kuchje voegde ik me toegeeflijk bij Willie op de oever. 'Nou, goed dan… neem die Wapini-vrouw maar even op de foto.'

Tevreden met het compromis, trok hij zijn camera en mat de lichtsterkte. 'Dan heb ik m'n eerste shots, oudste, als het meezit is het vanavond al klaar.' Hij bezag Iguana als was ze een exoot. Toen hij haar in de focus peilde, stapte ik achter hem, wrong mijn armen onder zijn oksels door en klemde mijn handen om zijn nek.

'Weet jij welke greep dit is, kiekjesman?'

'De d-dubble Nelson.'

'Dan kan ik zo je nek breken, hè… zeg maar wat je hier uitvoert.'

Machteloos gromde hij: 'Op goed geluk vloog ik naar Suriname.' In de bus naar Paramaribo zat hij achter een babbelende Belgische dame – ook op zoek naar wilde Indio's. Op een gesmoorde toon deed hij zijn relaas. Zoals hij in *Le Toucan* al zei – het klonk niet tegenstrijdig – was hij naar Albina gejeesd voor een snabbel, en voer in een rubberbootje lek. 'In m'n oude garnizoen Saint-Laurent viel wel wat te regelen.' Toen hij het gerucht vernam dat er een 'toerist' was verdronken, schafte hij een andere pas aan. 'Voor wat speelruimte, snap je… geef me lucht!' De Waalse was hij uit het oog verloren, jammer, zij scheen te weten waar *caribes* scholen in het onmetelijk grote labyrint van Amazonië.

'Volgens mij heb je het toeval een handje geholpen, Willie.'

'Eigenlijk het toeval mij.'

In de bar van *Corona Hotel* hoorde hij terloops dat de kelners mij Samson noemden. Onder die naam kon hij bij *Swift Air* boeken voor de grenspost Quamal. Waarom niet onder zijn eigen naam? 'Nou, in het binnenland geeft men elkaar bijnamen… wie voor Samson doorgaat, wordt niets in de weg gelegd.' Hij kreeg het voordeel van de twijfel.

'Mits jij geen foto's van ons maakt, Wil, mag je mee naar het dorp.'

'Tof.'

'Nu ja, alleen omdat het me daar met z'n drieën veiliger lijkt.'

Ik liet hem los en nam, onderdrukt nerveus, een kijkje bij de Waalse 'squaw' in de schaduw van de tent. Trachtte haar vergeefs te kalmeren. Ze schonk met bevende hand een mok thee in en ze keek vragend op. Dit liet zich niet gesticuleren. 'Hij heeft een alibi,' lispelde ik in haar oor, 'het is een levende dode.'

'Serieus?'

'Doe alsof je neus bloedt.'

Willie stond al gereed met zijn rol touw om de ene schouder en aan de andere zijn cameratas. Nu joviaal. Hij vond het niet zo erg dat zijn panterpels een fout cadeau was. Opgevouwen, kon het leer altijd nog dienen als een schild tegen giftige pijltjes uit blaaspijpen.

'Laten we daar geen stennis maken, Willie.'

'Het gaat er niet om wat wij ervan maken, maar wat zij ervan maken!' Als ex-legionair in Guyène wist hij waar hij over sprak. 'Al onze bewegingen zijn van meet af aan gevolgd.'

O, Stroh-rum zou het ijs wel doen breken. Iguana keek gepikeerd op. Dit spontane mens had moeite om niet uit haar rol te vallen. Snapte ze wel dat haar landgenoot niet mocht weten dat ze madame Maghales was? Maar goed dat ze gebarentaal kende. Toen ze als iemand van een schriftloze cultuur haar journaal opensloeg, deed ik van 'pennen' – met een uitroepteken. Ze tikte aan haar oor: *compris*. Stille wenken waren voldoende om te weten hoe laat het was.

Het werd tijd om de kolen uit het vuur te halen.

Tersluiks wees rode zuster op de overkant van de Alama. Ze kruiste haar wijs- en middelvinger als een gespleten tong, en schudde van nee. Hè, daar geen slangen? *Pico bello*, seinde je met een opgestoken duim. Wat een misverstand! Later zou blijken dat ze ervoor wilde waarschuwen dat de Wapini's bedotterij als een doodzonde zien, maar toen was het al te laat om op clementie te mogen rekenen.

Laat in de middag toen de felheid van de zon afnam, zochten we met z'n drieën de noordoever van de Alama af naar een doorwaadbare plek. Iguana met haar reeënbillen voorop – zij werd geacht de omgeving te kennen. Ik liep liever achter Willie dan voor hem. Hij had slechts een seinpistool, maar van dichtbij schiet je er iemand wel blind mee. 'Opgelet!' De rivier zwol nog steeds op van de 's morgens gevallen regen. Op dit uur droop en dampte het oerwoud als een broeikas.

Het werd oversteken op een smal punt over een rij rotsblokken, glad van de alg. Iguana hupte op blote voeten licht van kei tot kei. Willie scheen geen argwaan te koesteren. In het roze hesje van een directoire en een rafelige Rode Kruishanddoek als stola vertoonde ze al enige Indiaanse gratie.

Via een veldje met cassave, tabak en mais voerde het pad naar de palissade van het dorp. In Ajube krijsten tamme papegaaien. Het rook er naar stokvis. Honden blaften met hun staart tussen de poten, schamel geklede vrouwen pakten hun peuters op en renden op een drafje de ring van hutten in. Geen weerbare mannen te bespeuren. Enkele bejaarden lagen in hun hangmat stil naar vreemd volk te staren.

'Ik had ze me heel wat wilder voorgesteld,' zei Willie sip. 'Als de *Geographic* er maar een item in ziet!'

'Mij kunnen ze niet mak genoeg zijn.'

Iguana betrad de dorpspiste als een herrezene, teruggekeerd van de berg. Voor ons een koele ontvangst. Op een wenk van de tanige hoofdman, ene Waranau, knikte zoon Chimôc ons stug toe. Iguana haalde hij binnen met een palmblad boven haar hoofd. Magere dorpelingen stonden toe te kijken met schichtige ogen en slappe armen.

'Ghm,' snoof Willie, 'wat een zielig stelletje armoedzaaiers!'

Zij schenen ons nog minder te vertrouwen dan wij hun. Het euvel was dat ze de lieve Iguana voor een *spirit* aanzagen. Had ze niet met één blik uit haar smaragden ogen een grijsaard op de dansvloer geveld? Of gewoon een beroerte. Haar vertrouweling Chimôc scheen niet te vrezen dat ze een geestverschijning was. Na enig overleg mocht ze zijn vader gaan begroeten in de gemeenschapshut.

'Broer en zuster?' polste Willie achter zijn hand.

'Zal wel… laten we ervoor zorgen dat we vóór donker weg zijn.'

'Er is me wat eigenaardigs aan die indio-chick opgevallen, meester, ze heeft geen zwarte maar groene ogen.' Nou, en? We mochten nog van geluk spreken dat hun krijgers op jacht waren. Willie keek op zijn neus. 'Er mogen, verdomme, geen apaches in oorlogstooi aan m'n scoop ontbreken!'

'Had jij willen wachten totdat ze ons in de pan hakken?'

'Laat me niet lachen.'

'Onlangs werd in een Indianenreservaat nog een paar goudzoekers vermoord.'

Een donkere lucht hulde het dorp in somberheid. Het ging weer eens regenen. Chimôc trad naar buiten, en wenkte ons kortaf de grote hut binnen. *Entre casa!* Hij sprak wat Portugees van een missieschooltje in Rio Amapa.

Rond een stoof op de lemen vloer zaten in een halve cirkel de oudsten. Iguana tolkte in gebarentaal. Met fijne mimiek bracht zij de gastwensen over: een kano en toestemming om te fotograferen. Dit laatste deed een gemompel in de kring opgaan. Na overleg met hun blinde sjamaan, gehuld in apenbont, schudde de hoofdman van nee. De sfeer werd grimmig. Er viel alleen over een kano te praten, onder voorwaarde dat wij er meteen in terug peddelden naar het noorden van de grens.

Onze ruilwaar, Luciles platina ring, maakte in deze kring geen indruk. Ze zagen er tin in. Hun wantrouwen maakte het onderhandelen tot een hopeloze zaak.

Zo op het oog bezaten ze niet veel – vlechtwerk, kruiken, bijlen – maar genoeg om zich te kunnen bedruipen. Wat er momenteel aan ontbrak: eiwit. Niet alleen omdat hun jachtgebied slonk maar ook wegens de hoge waterstand, die de vissen verspreidde. De spoeling werd dun. We hadden *corned beef* mee moeten nemen. Beseften ze dat hun dagen geteld waren nu *blancos* hun wijkplaats hadden gevonden? Zo ja, zou het dom zijn om ons levend te laten vertrekken. *Sjisji-sji-sji-sji* zo snerpten almaar de krekels in de bosrand.

Toen er een fles 'Amazone moon' de kring rondging, klaarde de stemming in de *maloca* wat op. Door de spijlen van de hut glitterden oogjes van kinderen. Een kittige vrouw met getatoeëerde borsten, Shakiti, deelde hapjes op vijgenbladen uit. Buiten stonden nieuwsgierige jongens toe te kijken. Meisjes bleven schuw in de schaduw. Omdat het zo poeslief ging, wees ik de snack beleefd af. Willie nam gretig een brokje in gele saus gedoopte maniok aan. Helaas had je hem nog nodig zolang hij de enige witte broeder in Ajube was.

'Pst, maat, die lui schijnen goed in gifmengen te zijn.'

'Ik mag ze wel, Schut.' Hij stak de snack rustig in zijn mond maar plots stokte zijn kauwen, zijn gezicht vertrok lelijk. 'Shit, wat is dit goedje heet!' Zonder meer griste hij een grootvader de fles rum uit de hand en nam een teug om *pépri* te blussen. Zelfs onder primitieven viel zijn botheid op. Eenmaal tipsy, nam hij een theatrale houding aan om het gezelschap op wat show te onthalen.

De oude circusjongen slikte een brandende sigaret in, liet zijn ogen rollen en blies rook uit zijn oren... De toeschouwers zaten paf. Hun blinde sjamaan snoof met rillende neusvleugels de lucht op. Willie goochelde een condoom uit zijn zak en keek rond. Hij blies het op tot een ballon. Het publiek dat voor hun ogen iets als een witte geest zag opzwellen, zat angstig toe te kijken. *Pang!* Misschien hoopte de duivelskunstenaar zo het gezag in het dorp over te kunnen nemen.

'Ga nu niet voor tovenaar spelen, Wil, straks heb je de poppen aan het dansen!'

'Wat shots van de krijgsdans, en klaar is kees.'

Hopelijk kende hij ook een verdwijntruc. Ik wendde me van het stuitende tafereel af en vroeg Iguana fluisterend: 'Al wat over de Zwitsers aan de weet gekomen?' Het protocol is nog niet zo ver, gebaarde ze. Op het teken van 'de knoop doorhakken' knikte ze beamend, maar vooralsnog maakte madame geen haast.

Enkele wijfjes zaten gehurkt de tuin te 'bemesten'. *Apetitoso.* Zo gaat er niets nuttigs verloren. Tabak pruimen ze gewoon. Een lendedoek van katoen geldt in het warme, vochtige klimaat als decente kleding.

Uit de statiehut klonken nu kreten van ruzie op. Het ging natuurlijk om ons. Iguana kwam met gebogen hoofd en betraande ogen naar buiten. Gezien de gespannen sfeer, nam ze wijselijk een afkoelingsperiode in acht. Eerst moest ze van het stigma van *bad spirit* af. Na haar verblijf in Ajube liet ze de clan met moeite los. Tijdelijk althans, want: 'Eéns een Wapini, altijd een Wapini.' Daar zouden we het nog wel over hebben.

De verschijning van 'prins Chimôc' deed ons zwijgen. De fiere knaap met ara-veren in zijn hoofdband zou iets nobels hebben gehad, als hij er niet in Adamskostuum bijliep. 'Hé, Lucile, daar is je vrijer…' Zij bezwoer dat ze niets met elkaar hadden op amoureus gebied.

Na hun onderonsje in dialect deed Chimôc ons stil uitgeleide. Op de achtergrond trad de tamtam in werking. We moesten er vandoor – dan maar zonder kano. Tegen etenstijd hurkten de dorpelingen rond vuurtjes in hun open hutten, alsof wij lucht voor ze waren.

Met een handzwaai een saluut aan de hoofdman gebracht. *Adeus, senhor.* Hij zag ons liever gaan dan komen. De Waalse kapitaliste ging nog steeds gekleed als een schoolmeisje op Haloween. Het bleek dat ze al haar spullen had verdeeld in de gemeenschap, op haar tas na.

De zoon van de hoofdman bracht ons naar de palissade aan de rand van het dorp. Daar een kort vaarwel zonder woorden. Iguana stond nog even stil en wuifde, maar Chimôc toonde geen reactie. In het licht van zonsondergang stond hij ons als het bronzen beeld van een atleet na te staren. Boven piek Chucuchi lichtte de lucht flitserig op. In de verte rolde het gerommel van donder over het nevelwoud.

Op het schemeruur stond de rivier hoog gezwollen. Het water gutste soms woest buiten de bedding. Daar waar het 's middags nog doorwaadbaar was, werd de stroom tegen de avond peilloos. Het smalste punt tussen de oevers mat zo'n twintig meter, een kolkende sleuf tussen rotsen.

'Wie erin valt,' zei ik als zeeman, 'vertelt het niet na!'

Willie knikte bedachtzaam. 'Die kun je wel afschrijven…'

Iguana volgde stil aan mijn hand, als een boei om haar pols. Op dit punt wilde de ex-legionair de leiding overnemen. Hij tijgerde over een gevallen ceder, half over het water heen. Rolde zijn lasso uit. Na wat missers wist hij de lus om een boomstronk aan de andere kant te mikken.

'Ik ga voorop, Schut, en dan geef jij me haar aan.'

Stuurs peilde ik de lijn. 'Kan ie wel drie mensen houden?'

'Wacht tot wij tweetjes over zijn, dan haal ik jou binnen.'

En als hij aan de overkant, met de buit in bezit, de lijn dan eens losmaakte? Dan zou haar oppasser hier achter moeten blijven. Roerloos luisterden we even naar het geluid van huilstemmen uit het dorp.

'Weet je wat, maat,' zei ik na ampele overweging, 'laat mij liever maar éérst met de vrouw overgaan.'

'Dat lukt jou nooit, Schut.'

'Nee? Ik heb bij de zwarte baretten gediend.'

Hij kuchte schamper en haalde zijn schouders op. Toen Iguana en ik op de stam gekropen waren, schoof hij behendig over de gespannen lijn. 'Vooruit met de geit!' Ik deed het kalm aan. Alvorens haar, een dierbaar mens, aan hem toe te vertrouwen testte ik het touw met een ruk uit de schouder. Misschien iets te hard. Of zat er een kink in de kabel? Willie viel, bij verrassing los geschud, met een gesmoorde kreet te water. Weg! Opgeslokt door de maalstroom.

Na die plons keek Lucile me stom van ontzetting aan – alsof het expres ging. Het was pure domheid. 'Zó gemeen had ik 'm niet willen lozen.' Ontdaan tuurden we naar een stroomversnelling. Het was ondoenlijk om nu langs de ruige, donkerende oever te gaan zoeken. De boom zakte verder voorover. Met lijn en al raakte het gevaarte los van de brokkelige wal – geen kans meer om over te steken. De Rio Alama werd een lawine van water.

Nu we weer openlijk konden praten, wisten we niets te zeggen.

In tanend daglicht stonden we rillerig hand in hand aan de oever. De laatste twee van vijf Europeanen die zich te ver in Tumakhumac hadden gewaagd. Ook ons lot was eigenlijk al bezegeld. Als de Indio's ons niet te grazen namen, of een kaaiman, dan konden we hier toch niet ontkomen aan het zoemende leger van malariamuggen. Bij avond was het onmogelijk om een bivak van takken en palmbladen te maken.

Hoei, zo klonk het uit het riet, *hoei!* Een brulkikker? Huiverig vleidde Iguana zich in mijn armen. Ze kreeg een zoentje op haar klamme voorhoofd. 'Laten we bij de pinken blijven, zuslief.' Aan de lucht prijkte geen poolster. Zonder kompas of radarpeiling werd het oriënteren op vreemde geuren en geluiden in een zee van zwart. Dicht bijeen darden we in het kreupelhout aan de oever rond.

Op het uur dat de nachtdieren tot leven kwamen, schalde er een concert van padden en uilen uit de bush op. Gekriebel van bloedzuigers. In deze omstandigheden leek het verkieslijk om terug te gaan en in vredesnaam maar onderdak te zoeken in het dorp. Hier waren we overgeleverd aan ongedierte. Overal greep je in de stekels. Er bleef ons geen andere uitweg dan bij de clan aan te kloppen met het nederige verzoek om nachtlogies.

Op de avond van *Luna llena* ging de maan schuil achter wolken. Een gloed van vuurtjes leidde ons naar de kraal. Op het pad bij het veldje sloegen keffers aan. In de lucht hing een zweem van braadgeuren. Wilde je nu wel voor haar door het vuur gaan?

'Hoor eens, lieverd.' Onzeker hield ik haar staande. 'De narigheid is, dat wij ze niks anders te bieden hebben dan onszelf.'

'Wel, amice, ik heb een *grande surprise*.' Ze legde haar hand op de mijne en voelde die beven. 'Ik zal hun société steunen met een miljoenenfonds op de Latin America Bank, zodat ze hun eigen erfgrond op kunnen kopen.'

Ik aarzelde. 'En als ze willen weten waar de blitsman is gebleven?'

'Och, de Wapini's zullen er heus geen last mee krijgen.'

'Niet als hij op de noordoever aanspoelt, dan is het alleen lastig voor Suriname… komt hij aan deze kant van de grens terecht dan zitten zij ermee opgescheept en krijgen ze bezoek van de *militia*.'

'Zou het?'

Lucile Iguana leefde in het hier en nu. Zeelui plegen ver vooruit te kijken. In de magische wereld van animisten is het echter moeilijk om een blik in de toekomst te werpen. Een kansberekening uit de losse pols kwam uit op fifty-fifty. Ach, was je niet verliefd geweest dan was je op zo'n prognose nooit uitgevaren. Nu de teerling was geworpen, moesten we op God vertrouwen en het nemen zoals het kwam.

In de statiehut zagen de oudsten ons met lede ogen terugkeren. De jonge Chimôc rees verend op. Voor de beleefheid liet je hem aan zijn vader vragen of het ze goedging. *Estar tudo boa?* 'Als het niét zo was,' liet Waranau weten, 'waren we al vertrokken.' Een domme vraag. Ter verbetering van de stemming toonde Iguana haar millioenencheque van de Latin America Bank. Men wilde weten hoeveel die som gelds in goud woog. Kilo's! Er voer een gemompel door de kring. De *blancos* hadden hen in de loop der tijd wel vaker loze beloften gedaan.

'Hé,' fluisterde ik de gulle geefster toe, 'ze willen boter bij de vis.'

De cheque was droog gebleven in haar money-belt, maar ze had geen pen meer. Schrijfgerei kwijt! Misschien in de rivier geplompt, net als Willie Samson. In elk geval kon het bankpapier niet ondertekend worden, laat staan verzilverd. Ach, we waren alleen maar ons gewicht in vlees waard.

Het grijze overhemd met witte boord van Hulvig gaf scheve ogen. De sjamaan zat te prevelen. Als hun geestelijke ervoer hij de komst van een westerse 'medicijnman' zeker als concurrentie. Zijn macht stond op het spel. Hoe hem nu aan te tonen dat je geen zielendief was? Die Ighiyas had een zwart en een wit oog. Het witte leek blind, maar door de spleet van het andere flitste soms een vonkje op. Desgevraagd zei Iguana eerbiedig: 'Met het ene kan deze *pajé* in het geestenrijk zien, en met het andere de wereld doorschouwen.' Eerlijk gezegd, leek de man me een oude slimmerik.

'Wapini's doen niet aan acteren, amice.'

Nee? Sommigen waren uitgedost als spelers in een Fellini-film met bongo's uit een jungletheater. Maar goed, we moesten elkaar serieus nemen om tot een akkoord te komen.

In deze carnavaleske boel voelde de Waalse Wapini zich thuis. Ze vond het énig dat er een Indiaantje in haar Kipling-rugzak was gekropen. 'Ach, gossie.' De Kipling was geen punt. Iguana had al geleerd om een rugzak te vlechten van liaanvezels. Ze bewonderde het motief van een anaconda, alsof we in een koloniaal museum waren. 'De zonneslang, *mon chéri*, die op bezoek kan komen in dromen.' Zoals op de hotelkamer in Paramaribo? Slangenromantiek. Afkerig van zulke gezelligheid, gooide ik het over een andere boeg.

'We zullen eerst hun sjamaan moeten bekeren, hè.'

'Ighias voelt alles, hoor, benader hem zonder bijbedoelingen.'

Om de magiër uit te testen, knielde ik bij hem neer en verlichtte zijn holle gelaat met een aanstekervuurtje. Geen reactie, alsof hij niets zag. Wel doofde al gauw de vlam uit – die van een *Seafare Stormlighter*. Geestkracht? Met een dof excuus trad ik, ontmoedigd, uit de kring om uit te zweten op een boomstronk buiten het open huis.

Het wolkendek was opgeklaard en de maan deed het zand van de piste oplichten. Mooi weer voor het lunafeest. De vrouwen leken met hun beschilderde borsten bustehouders te dragen. De mannen plegen hun *pino* aan de voorhuid op te binden aan hun lendekoord. Wel netjes. Zo vallen hun gevoelens voor het andere geslacht nauwelijks op.

Het klamme preekhemd trok ik maar uit, en wierp het in het vuur. Boegeroep! Paupers die droomden van zo'n kreukvrij linnen shirt, zagen het tot hun verbijstering in rook opgaan.

Terwijl de mannen lelijk deden, wat bij elke *faux pas* verergerde, bejegenden de vrouwen 'senhor Dutch' wel aardig. Vooral Shakiti. Die bevallige bijvrouw van de chief, een brutaaltje, kroelde met een prijzend gekir je blote body. Borsthaar met een goudglans. In plaats van toe te geven aan gevleide ijdelheid, hield ik wijselijk de boot af.

'U bent best aantrekkelijk, *senhora*, daar niet van…'

Toen Shakiti werd afgewezen, siste ze iets dat klonk als een verwensing. Gekrenkt in haar eer? Misschien gebood de etiquette om haar in dank te aanvaarden als een gastgeschenk. Als er maar geen soesa van kwam! Goed om eens te rade te gaan bij de Waalse squaw.

De bewoners van Wajanaland houden er over het algemeen geen strenge seksuele moraal op na. In de *shabono* bestaat geen privacy. Vanwege hun open hutten kunnen ze lustuitingen nu eenmaal niet verbloemen. Om de stam in stand te houden, of ook wel voor hun plezier, bedrijven ze de liefde min of meer in het openbaar. 'Copuleren is hier even normaal als eten en drinken, amice.' Trouwen dat deed men, als de tijd rijp was, door samen in één hangmat te kruipen.

Ondertussen dampte er in de statiehut een gastmaal voor ons. Shakiti schonk ons koel elegant elk een nap met gele kwabbetjes in. Zwammen? 'Nee, gekookte keverlarven.' Alvorens de nap aan haar mond te zetten, keek Iguana triest haar nieuwe familiekring rond.

'Ik krijg de indruk dat de crux van m'n donatie ze ontgaat.'

Als troost sloeg ik een arm om haar schouders heen. De nap viel uit haar handen. 'Hola…' Met gefronste wenkbrauwen keek ze naar de gemorste soep op de vloer.

'Ah, dus toch!' Ontgoocheld schoof ze een stukje opzij. 'In wezen bent ge iemand van de security-service, hè.'

'Was het maar waar… vermoedelijk was Willie dat.'

Zuchtend wees ze erop, dat de Wapini's hun gasten heus niet vergiftigen. Nee, nogal wiedes. Dan zouden we oneetbaar worden.

'Hoe dan ook, lieve zuster, dood is dood.'

Net als Sijtje wilde ze dit niet geloven. 'Ghaha, amice, onze ziel is immortaal.' Ook Sijtje lachte op de verkeerde momenten. Iguana verkoos een crematie met *ghost-dance* boven een kille begrafenis op een kerkhof. Is ook de hemel niet een geestenrijk? Bij Sijtjes uitvaart op Urk rikkelden er hagelstenen als diamanten op haar kist.

Wat nu met die cheque van de *Banco do Brasil* gedaan? Geen pen meer. Toen de dorpelingen, die gouden bergen beloofd waren, ongedurig werden, waaierde Iguana radeloos met haar chequeboekje in de lucht.

'Oh, *mon Dieu*, had ik maar schrijfgerei!'

Het zakmes van de Zwitsers bewees nu goede diensten. 'Onder voorwaarde dat we morgen vroeg afreizen, meid.' Ik liet wat bloed uit mijn pink op het schoteltje van een blad druipen. Toen ik met de punt van het mes op een tamme ara wees, ging in de kring een gemompel van afkeuring op. Och, we hadden alleen maar een staartpen nodig. Onder gekrijs liet de statige vogel een veer.

Toen de schacht was gespleten, daalde er een stilte rond het vuur. Een historisch moment. Het belang van de kennismaking met het Schrift scheen de dorpsraad echter te ontgaan. Of bleven de Wapini's liever schriftloos om hun overleveringen zingend door te geven aan de jeugd? Op Urk had het proces van alfabetisering het er niet gezelliger op gemaakt. Ooit vertelden oude eilanders bij de snorrende kachel saga's over de Zuiderzee, waar geen TV-show aan kan tippen.

Bij gebrek aan ferrumvitriool diende het bloed om de inkt ijzerhoudend te maken, anders zou die algauw verbleken. Er wat roet door gemengd als koloriet, en er was schrijfinkt. Terwijl de *capitalista* uit Brussel de cheque op mijn rug invulde, telde ik op gevoel mee. Hoo… dankzij een elleboogpor bleef het bij een drie met vijf nullen. Basta! Haar broer Michaël zou wel wat overhebben voor zo'n reductie van de schenking uit zijn beoogde bedrijfskapitaal.

Chief Waranau, die kon lezen noch rekenen, bekeek de cheque in zijn ruwe vingers bij het vuur. Een toverspreuk? Ja zeker, *formula magica*. Argwanend wilde hij weten wat er zoal mee te doen viel. Heel wat! Bijvoorbeeld het dorp voorzien van zonnecollectoren, elektra en leidingwater, elk gezin een ijskast, wasmachines en plenty merkkleding uit Miami. Of een lading stenguns kopen en een mijnenveld rond hun domein aanleggen. Of gewoon de landbaronnen betalen voor uitstel van ontginning, zodat Ajube er nog wat jaartjes mocht blijven. In elk geval genoeg *ping-ping* voor een onbezorgde toekomst.

Het antwoord: 'Wij hebben alles wat we nodig hebben om rijk te kunnen leven.' Heus? Iguana bezwoer dat Indio's nooit opsnijden. Hun grammatica is zo precies dat onwaarheden worden uitgesloten met tritsen voor- bij- en achtervoegsels, die de inhoud exact weergeven. De betrouwbaarheid van de informatie zou al blijken uit de formulering.

'Wij Urkers gaan gewoon recht door zee.'

'Jawel, amice, maar het Europese idioom komt ze voor als dronkenmanstaal… laat mij het woord maar doen.'

Iguana gaf te kennen, dat er begeleiding nodig was naar een stad om de cheque te verzilveren. Men stak de koppen bij elkaar. Hollands scheen hen in de oren te klinken als varkensgeknor. Nu ik geen stem in het kapittel had, ging ik benauwd naar buiten om eens uit te hoesten. Houtvuur! Met een elektrisch fornuis zouden ze ouder worden, maar dan zou hun cultuur uitsterven, die van mensen uit de voortijd.

In het maanlicht waande je je Gulliver tussen de dwergen. Een vals gevoel van reusachtigheid. Massa was hier een nadeel. Een kolos liep zich vast in het struikgewas, of zakte bij elke stap weg in de drasgrond. Lichtvoetigheid als pluspunt. Hun werktuigen van hout en steen waren, hoewel eenvoudig, degelijk en functioneel. Niets in dit netwerk van naturalia vergde enige stroom. De structuur van de hutten, logica met wat franje, was om je pet voor af te nemen.

Chief Waranau had niet gelogen. Op een enkele keer na, als ze krap in hun vleesvooraad zaten, ontbrak het de clan aan niets. Zolang er geen *blancos* kwamen om hun grond te claimen, konden ze hun eigen boontjes doppen. Ze waren zelfredzaam. Een uitgebalanceerde leefwijze, aangepast aan de omgeving, die eigenlijk geen verdere ontwikkeling behoeft.

Laat dit volkje maar schuiven! Ook hun weerbaarheid viel niet te onderschatten, maar ach, wat valt er met een tover-ratel en een paar blaaspijpen uit te richten tegen kalashni-kovs?

Het werd duidelijk wat de Waalse idealiste bezielde. Zij wilde *à tout prix* voorkomen dat de Wapini's afhankelijk wer-den van ons consumptieve systeem. 'Gaan ze zich eenmaal hechten aan westerse artikelen, amice, dan hebben ze geld nodig om overbodige spullen aan te schaffen.' Vandaar dat zij het voorbeeld gaf door alle luxe af te werpen. Ze bedoelde het goed, maar ze vergat dat de Indio vogelvrij was zolang hij niet onder de wet voor bedreigde soorten viel.

Geroep en vreugdekreten kondigden de thuiskomst van de jagers aan. Zeven in getal. De gezapige ouderen waren nu niet langer in de meerderheid. Het vergaarde wild, wat opossums en coati's, scheen de achtergeblevenen tegen te vallen. De jagers waren gespierde ventjes met een platte buik en felle ogen. Na hun schamele buit te hebben afgegeven aan de vrouwen, vormden ze stom van verbazing een kring rond de grote vreemdeling. *Senhor Dutch?* Op je groet zeiden ze geen boe of bah.

Van de verrassing bekomen, ging hun ontzag over in een zekere branie. Je vetlaag werd beklopt. Blauwe ogen die hun vrouwen bekoorden, maakten op hen geen indruk. De tatoeage van een anker viel weg bij die van gevleugelde boa's. En wat stelt een pet met het SIS-embleem voor in vergelij-king met een hoofdtooi van een toekanstaart?

Een krachtmeting moest uitmaken wie er de baas was. Ik kreeg een boog in de handen gedrukt – span zo'n zwaar ding van djati maar eens! In een ademloze stilte trok ik met mijn linkerhand de pees aan en drukte met de rechter uit alle macht het veerhout uit. *Krak.* Toen de boog op het uiterste buigpunt met een knal doormidden brak, ging er een verbaasd gegil op. Geen kunst aan. Hollanders hebben nu eenmaal langere armen, ergo, meer hefboomvermogen.

Per ongeluk had je ze gekleineerd.

Omdat men er iets bovennatuurlijks in zag, moest het pleit beslecht worden door hun geestelijke. Die zat te pruimen voor zijn hut. Ighias snoof eens alsof hij een zultig luchtje opving. 'Hallo papa,' zei ik met het nodige respect, 'wij *amigos*?' Op die vraag zat de oude ziener even te lachen, maar het klonk ietwat spottend. Het was beter om de kat uit de boom te kijken.

Madame Maghales uit het oog verloren! God zij dank, zat ze in de statiehut aan de *kashiri*. Laat op de avond moest dit zure, troebele bier de stemming erin brengen. De ene kokosdop na de andere ging rond. Na een tweede dronk begon het bocht ons toch wel te smaken. Op dit uur gingen de klaagzangen over in de rituelen van het maanfeest.

Onder de palmen blonken gezichten uit een junglesprookje op. Het vuur wierp een gloed over de rauwe realiteit van het Indianenleven.

Eenmaal tipsy, werd Iguana een beetje flirterig. 'Weet ge,' zei ze op een flemende toon, 'de Wapini's leven voort in hun nazaten.' Ja? Morgen maar. Als we de nacht doorkwamen, met enig geluk, dan moesten we bij dageraad een kano kapen en stilletjes van wal steken.

Ze wreef over haar gladde kruin. 'Ik wil hier *toujours* blijven.'

'Maak dan uw testament maar alvast op, madame.'

In concept was dit al geregeld, op de namen van de begunstigden na. Haar familie in België, of de jaguar-clan. Wie zouden er wol spinnen bij het overlijden van deze erflaatster?

In de piste paradeerden bont beschilderde meisjes rond. Het werd tijd voor een andere tactiek. Nu alle middelen gefaald hadden en 'Iguana' zich niet liet overreden met logische argumenten, liet ik mijn broederlijke houding varen. Waarom haar niet eens behagen? Was ze eenmaal verliefd dan zou ze vanzelf wel volgzaam worden.

(…) in de warmte van de tropenavond gloeien zijn robbenogen op, zijn handstreling op m'n wang spreekt een tedere taal.

In het beraad der oudsten viel het besluit dat de groenogige Belga tot de clan mocht behoren. De chief gaf met een hoofdknik zijn fiat. Een hulpje van de sjamaan zuiverde neuriënd de piste met rook van heilige kruiden. Chimôc kwam het nieuws beheerst blij melden: *Dona Iguana es una Wapini.* Verslagen keek ik haar aan. 'Gefeliciteerd…' De vroegere dame uit Brussel behoorde nu officieel tot de mensen van het nevelwoud.

Verheugd viel ze me om de hals. 'Dit heb ik mede aan u te danken, *mon cher ami.*' Haar toekomst zag ze rooskleurig in. Als alle olie óp was en er een mondiale energiecrisis uitbrak, zou men het in een negorij als Ajube nog best kunnen rooien. Als vanouds gold de zon hier als krachtbron. In deze vrijstaat ver van het wereldgebeuren, waar weinig zou veranderen, waande ze zich veilig voor de Apocalyps.

Pets, één muskiet minder!

In plaats van haar uit de droom te helpen, en zo haar vreugde te vergallen, was het beter om haar bij deze gelegenheid het hof te maken.

'Hé, lieve Lucie, wist jij wel dat je van die mooie lippen hebt?'

Met een glimlach straalden haar ogen op. 'Ja?'

'Hmm…'

Terwijl onze gezichten naar elkaar toeneigden, als waren het magneten, steeg er met een tromslag een schel gezang op. *Ieie-ie-ee-jee-ahee!* Op de kadans van cimbalen zetten de jagers de maandans in. Dartel schaarde Iguana zich in de rij van een soort polonaise voor de vrouwen. Op het handgeklap van de mannen flapten hun borsten telkens tegelijk op. *Ju-ju-ju-ju-juh.* In het midden van de kring soleerden één voor één de schonen van Ajube, een show van vruchtbaarheidsvertoon.

Op haar beurt draaide ze pirouettes op de maat van het slagwerk. Applaus en voetengestamp. Had ze niet de fijnste taille van allemaal? Tussen bejaarden aan de kant stond ik verweesd toe te kijken. Lucile Iguana scheen nu eindelijk eens gelukkig te zijn. Had je wel het recht om haar uit haar element te halen? Hier was ze in het land van haar dromen.

Het geflakker van de vlammen te midden van de *ghost-dancers* werkte op je verbeelding. Figuren in de rook deden denken aan de afwezigen. Hoe was het met de Zwitsers en Willie Samson afgelopen? Wie had de hand gelegd op haar juwelen in het bivak, als het geen apen waren? Ons zorgenkind scheen dit alles vergeten nu ze excelleerde als de prima donna in een modderballet. Ach, ach, wat jammer dat je nooit met zo'n bruid op Urk kon komen aanzetten! De eilanders zouden er de vrouw van Potifar in zien.

In koortsbeelden haakten er schimmen bij de dodendans aan.

Een op je schouder gevleide hand was die van Shakiti. Ze zei iets op een vragende toon. Op mijn nee-schudden, bij voorbaat, schoten haar ogen vuur. *Está bem, senhora.* Om haar als favoriete van de chief niet te kwetsen, liet ik me voor de beleefdheid maar meetronen. Waarvoor? Met haar soepele, maanbeschenen billen ging de dorpsschone voor naar een loofhut in de schaduw buiten het feestgedruis.

Binnen in het donker klonk een ritmisch gekets op.

Vonken van vuursteentjes deden een dot kokosvezels vlam vatten. Het schijnsel belichtte de holle trekken van Ighyas. Bij onze entree ging hij snuivend rechtop zitten. 'Alles goed?' Op Shakiti's wenken hurkte ik bij het vuurtje, en plechtig reikte ze een pijp met een bamboesteel aan. Ah, de vredespijp roken. *Okay.* De oude hief prevelend zijn handen op. Je moest de tuit van de pijp tegen je neusgat houden, en hij haalde diep adem om krachtig in de barnstenen kop te blazen. Dzzzzzz.

Boven het dorp hing je even stil in de lucht. Beneden de figuurtjes van dansers in de ring van hutten om het vuur. Na die blik uit de hoogte, een moment van overzicht, trad de zwaartekracht weer in. Met een suizende vaart ging het nu omlaag! Wonder boven wonder, toch nog vrij zacht geland in iets als het doorverende web van een reuzenspin.

In het donker lag ik duizelig en versuft achterover in het vangnet. Op het ergste voorbereid. Toen er trillingen door de draden voeren, streek er een ademtocht over mijn leden. Oh, God. In een afweergebaar stak ik angstig mijn hand uit en voelde een warme, ranke vrouwenflank. Hee... die van Shakiti?

'Ik ben het, *mon cher ami.*'

Het webachtige weefsel was dat van een hangmat.

In het schijnsel van een smeulvuurtje hing ik in een hut met open zijkanten. De verloren zuster knipperde met haar ogen. Wat was er gebeurd? Om je starre ziel op te wekken, zo verklaarde ze, had Ighyas je een teug *animo* ingeblazen. Er was sprake van een 'uittreding', waarbij de geest het lichaam even zou kunnen ontstijgen. Misschien het eerste stapje van de vliegkunst. Het ging me boven de pet. In elk geval waren we eindelijk eens alleen met z'n tweeën.

In een glans van fluweel zag ik de wereld nu door de ogen van een romanticus. Zo zoetjesaan was de tijd rijp voor een aanzoek. Op die manier konden we er een *honeymoon* in Eldorado van maken. Nu alle zorgen gevlogen waren, kwam er ruimte voor lyriek. Toen ik naar de woorden voor een liefdesverklaring zocht, en mijn das recht wilde trekken, merkte ik ontnuchterd dat ik geen kleren meer aan het lijf had.

'Tjeezus… hebben ze me van m'n plunje beroofd?'

'Die hebt ge zelf uitgetrokken, amice, en in een staat van beneveling gul uitgedeeld onder de clanleden.'

Een *black-out*. Daar lag meester Schut zonder geld, goed of papieren in het rookgat van een loofhut te staren. Zonder pet ontdaan van alle waardigheid. Rode zuster merkte zoetsappig op: 'Zo passen wij wel bij elkaar, Herman.' Neuriënd rakelde ze het vuurtje in een keienhaard op voor wat gezelligheid.

De gastenhut aan de rand van het dorp bood een wazig zicht op het verlaten zandplein. Uit de rimboe klonk soms een sonoor gehuil op. 'Saki's,' zei ze achteloos, 'spookaapjes.' Aan de spanten hingen wat kammen bananen, op een vloer een schaal en een waterkruik. Niet meer dan één hangmat. Met het oog op het bevestigingstouw van sisal zei ik haar spijtig: 'Zo'n soort bed is niet berekend op twee personen.'

'Ghaha, hele volksstammen hebben zich er in voortgeplant!'

'Hm.'

'De Indio's geloven dat ze blijven voortleven in hun nageslacht.'

Schuchter kroop ik de hangmat uit om haar die veilige plek te gunnen. Ging wel op wacht. De rook van het vuurtje deed tranen maar verdreef tevens de muggen. Niet de mensen. In het donker achter de hutspijlen klonk het geklets van dorpelingen op. Wat deden die hier?

'Ze zitten te wachten totdat wij *alegre* worden, jongen.'

Vrolijk? Vrij vertaald, hun term voor geslachtsgemeenschap. Voor dit onbevangen volkje was 'de eerste keer' zoveel als een hoorspel. Iguana zei het meesmuilend. 'Zij die de nacht samen in één cabane doorbrengen en gaan jubelen, om zo te zeggen, die zijn *marié*.' Wat, officieel getrouwd? In elk geval wel volgens de ongeschreven wetten van hun adat.

Er hing een idylle in de lucht. Hij die zo'n Indiaanse prinses huwde die zou haar erfgenaam worden… Er was alleen een vrijpartij voor nodig, zodat de toehoorders van onze *acte d'union* konden getuigen. Wel opwindend! Een villa in Monaco, Rolls Royce, een jacht om Hawaii te bezeilen. Of werd het, ondanks alle kapitaal, sappelend samen koters grootbrengen in de godverlaten rimboe van Tumukhumac? Iets om een nachtje over te slapen.

'Hoor eens, Herman, beloof me één ding.'

'Nou?'

'Mocht mij wat overkomen, zorg er dan alsjeblieft voor dat ik niet in België in een doodskist word begraven… laat me naar m'n hartewens in het Amazonewoud opgaan.'

De hangmat schudde op en neer van haar gesnik. *Hu-hu-hu-huuw.* Wat maakten de luisteraars buiten eruit op? Ssst. Haar nu als een barbaar de tranen van haar wangen aflikken? Daarmee zou de eerste stap naar verwildering zijn gezet. 'Stil nu maar, lieveling.' Als een heer zonder zakdoek pakte je maar iets als een pluisdot van een balk af om haar tranen te deppen.

Ai… een scalp?

Met een schreeuw van afschuw liet je dat harige ding los, en het kwam op haar buik terecht. Ze gilde van de schrik. Ze voelde er een tarantula in, *ajasses*, en trappelde 'm panisch de hangmat uit. Wat een opschudding! De toehoorders, die het orgastisch in de oren geklonken zal hebben, konden na die 'huwelijksvoltrekking' voldaan hun hutten opzoeken. Na een uitbarsting van *alegria* was het hoorspel uit.

'Waar is-ie gebleven, Herman?'

Huiverig stommelde ik in de hut rond. 'Dat merk ik wel als ik er op stap…' Had dit maar niet gezegd! Nu verlangde ze van haar bewaker dat hij er met zijn ongeschoeide voeten bij kwam liggen in de hangmat.

'Het spijt me, madame, maar ik ben niet in uw dienst.'

Ze krabbelde even aan haar derrière, en deed knipogend een verleidelijk aanbod: 'Wel, kom in mijn emplooi…ik kan u riant betalen.' Hoe dan? De dichtstbijzijnde bank was zo'n honderd mijl ver. In het conflict tussen de inheemsen en de ontginners wilde ik trouwens geen partij kiezen. Een zeeman die wordt gebrandmerkt als een 'milieuridder' kan wel een baantje aan de wal gaan zoeken.

'Ga maar lekker dromen, lieve, ik ben over m'n slaap heen.'

Naarmate het vuurtje taande, drong er meer gezoem in de hut door. Gelukkig had zij een potje met *onoco*, een attentie van Chimôc. 'Beschermende huidverf, joh, kom maar eens hier staan.' Ze smeerde me helemaal in, behalve de edele delen. Bedremmeld, besefte ik dat ik na die zalving half-en-half een Wapini was. Je huid was al roodbruin. Er ontbrak alleen nog een neuspiercing aan en wat gele veren voor de hoofdtooi. Als 'Pino Blanco' kon je er in Ajube wel mee door.

De vrouw lag soms even te klappertanden in de hangmat. Koude koorts? Bij gebrek aan comfort van dekens placht men zich in Ajube aan elkaar te warmen. Hopelijk werd ze niet ziek! Een over het hoofd geziene mogelijkheid om haar te verliezen. Als de dorpelingen van ons af wilden, dan konden ze het gerust overlaten aan de tropische bacillen.

Van lieverlee werd de nacht broeierig.

Mijn passiviteit deed haar op het laatst een beetje pruilen. 'Ge hebt sjans, hè,' zei ze met een zweem van jaloezie in haar stem. 'Shakiti valt op grote, blanke mannen.'

'Ik ben hier niet gekomen voor inlandse schonen.'

'Nee?' Ze wentelde zich om in het net. 'Waarvoor dan wel?'

'Weet je, ik heb een zuster gehad die in een fantasiewereld leefde.' Ik schraapte mijn keel. 'Hoogbegaafd maar afwezig, één jaar ouder, maar een klas lager op school… als jongen deed ik vaak onaardig tegen haar en nam haar in het ootje als ze dingen als engelen had gezien.'

'Hadden jullie 't dan nooit samen gezellig?'

'O, soms als het in mijn kraam te pas kwam.'

Zoals op die zaterdagmiddag toen je pa's motorvlet ging invaren, waarbij 'Sij' voor matroos mocht dienen. In de haven stond je zelf aan het roer. Op het IJsselmeer gauw het motorhokje in gedoken om er een speedboot van te maken, terwijl zus langs de dijk moest sturen. Net iets voor een HTS'er: het toerental opvoeren. Eenmaal op topvermogen schoot de vlet *full speed* vooruit, en steeg er een gil boven het geraas uit. Even niet op haar gelet! 'Overboord geslagen… zondagmorgen werd ze opgedregd door de kustwacht.' Het berouw smoorde me de keel.

'Ach, *mon Dieu.*'

'Ik zou 't mezelf nooit kunnen vergeven,' verzuchtte ik, 'als ik nog eens zo'n schat verspeelde.'

Nu ik me geestelijk bloot had gegeven, wisten we waar we aantoe waren. De een was even dwaas als de ander. Zolang we niet weg konden vliegen, of er niet op durfden te rekenen, zaten we allebei in de nesten.

Peinzend zei ze: 'Op het internaat in Brussel, waar de nonnen mij voortrokken, werd ik door de andere meisjes geplaagd… een introvert kind, in tegenstelling tot m'n broer.'

'Michaël, hè. Wat is dat voor iemand?'

'Evenals papa een geboren *homme d'affaires*, zal ik maar zeggen, die chicanes niet uit de weg gaat om zijn doel te bereiken.'

Over de telefoon klonk de stem van haar mede-erfgenaam als die van een patser met een deftig spraakje. De baas van een fotobureau. Vermoedelijk had hij Willie Samson achter zijn zuster aangestuurd om het volle pond te kunnen vangen. Zij hadden pech gehad. Wij trouwens ook. Voor een lady en een tramp zat er, helaas, niet meer in dan een vakantieromance.

'Weet je wat 't em is, Lucie, wij hebben zo weinig gemeen.'

'Och, een aarde- en een waterteken bijten elkaar niet.'

'Geloof jij in astrologie?'

'De invloed van de planeten is nooit zo sterk voelbaar als thans, bij vollemaan, wanneer er een springvloed kan optreden.'

In het donker van de *shabono* klonken de ijle, eenzame tonen van een panfluit op. Die van de verliefde Chimôc? Toen de serenade na een lange, trillende uithaal wegstierf, ging onze prinses zwaar ademen. Mooi zo. Met een snorkgeluidje viel ze eindelijk in de hangmat in slaap.

Op het houvast van scheepsroutine nam je de hondenwacht voor je rekening. Het was zaak om met beide benen op de grond te blijven staan. Bijna de fout gemaakt om het vuurtje op te rakelen met een tak. In de open hut hadden lieden in het donker ons dan wél kunnen zien, maar niet andersom. Het werd tijd om voor de duisternis te kiezen.

Zo verviel het plan om schoeisel en schaamlappen te maken – morgen maar. Misschien wel een wapen zoals een aangepunte stok. Er viel weinig mee uit te richten tegen pijlen maar nu droeg je slechts haar amulet. Een groen hartje aan de borst. Zonder vertrouwen in zo'n soort weermiddel had het ding alleen wat gevoelswaarde. Met het oog op schorpioenen kon je niet barrevoets gaan. Wie geen dikke eeltlaag onder zijn voeten had, telde als natuurmens eigenlijk niet mee.

Als er dorpelingen in de buurt van de gastenhut waren dan zaten ze stil verscholen. Er was alleen het gesjirp van krekels te horen. Toen je enkele passen naar buiten liep, zinnend op een vluchtweg, floot er in het donker iemand op zijn vingers. Onze bewegingen werden dag en nacht gevolgd. Zolang de hut bewaakt werd, waren wij zoveel als gevangenen.

Het gesnor van de nachtvlinders hield je wel wakker. Eens klonk er een brulgeluid op en enkele gillen. Een vrijage op z'n Indiaans, of geluk voor een hongerige panter? Het *sji-sji-sji-sji* in de bosrand klonk soms zo scherp als het slijpen van messen. Dienen tot voedsel, in het oerwoud de gewoonste zaak van de wereld.

Onzichtbaar ritselde er iets in de schaduwen in de buurt rond. Misschien een stekelvarken. Hm, de hangmat met de onbedekte 'dame' hing nauwelijks een meter boven de grond.

Voor de veiligheid vijzelde je het net maar wat hoger door het bevestigingstouw aan weerszijden een slag in te korten. Voorzichtig. Helaas ontwaakte de slaapster er toch van. Haar ogen flonkerden op, en met een gefluisterd *mon chéri* trok ze haar bewaker de hangmat in als was het een knuffelbeer. 'Vijf minuutjes dan, Lucile.' In de betovering van haar charmes dreigde passie het te winnen van waakzaamheid. Enfin, even uitrusten. Als Adam en Eva hingen we wiebelend tegen elkaar aan in een zoel briesje. In de open nok van de hut glinster-den twee lichtjes als een paar sterren boven de evenaar.

Zij aan zij, dat ligt niet lekker in zo'n hangmat. Rug aan rug geeft de kans op kapseizen. Dan in 's hemelsnaam maar buik aan buik, in een wankele balans tussen verstand en hartstocht. Jammer dat de nachtwake nog niet voorbij was. Eén van ons beiden moest zijn hoofd erbij houden.

Ze zuchtte eens diep. 'Gij meent dat ik *gaga* ben, hè, Herman?'

'Ik hou van je zoals jij bent, schat, maar uhhh…'

Bedenkingen smoorde ze met een omhelzing en een mondkus. Het hielp niet om aan ijsbergen in de Poolzee te denken – we waren in Ajube. Hier smolt je 'huwelijkscadeau' als een ijslollie in de hand van de bruid. Giechelend sloeg ze haar dijbenen open om de randen van de hangmat. Zo gleden we als vanzelf in elkaar. *Alegria.* Toen we in een staat van vervoering raakten, en het net ging zwikken, was er geen terugtrekken meer aan. Met een duet van oerkreten liep het uit de hand.

Na de extase van het hoogtepunt lagen we allebei op de vloer van de hut. Wat wil het geval? Bij de laatste stoot, op het moment suprème, was het bevestigingstouw in tweeën gebroken. Krak, bèèng! Bovenop de vrouw beland, had de nahijgende man zich amper pijn gedaan. Verdoofd door de klap lag zij in het eerste, vale daglicht languit op haar rug. Haar ogen gericht op het rookgat in de nok van de hut, een glimp morgenrood.

'M'n lieveling,' stamelde ik duizelig, 'oh, neem me niet kwalijk.'

Met een kuchje dook er een schim uit de ochtendnevels op. Chimôc. *Olá,* wat was er met 'Iguana' loos. Verward mompelde ik een excuus. De zoon van een jagersvolk boog zich over zijn stille beminde. Hij luisterde aan haar borst, en hij voelde even ademloos onder haar achterhoofd. *Nuco quebrar!* Hè, wat, haar nek gebroken?

Het kon niet waar zijn.

Na de koelte van de nacht lag ze als een leguaan stil op zonnewarmte te wachten. Er hing een sfeer van opleving in de lucht. Ontwaakte dorpelingen vormden nieuwsgierig een kring rond de gastenhut. Toen de sjamaan werd opgetrommeld, rees onder de omstanders de hoop op een wonder. Ighyas hurkte naast de roerloze *senhora* neer. Bij dageraad toen er vroege vogels floten in het rivierdal, zat de oude man dof te neuriën. Het klonk als een afscheidslied.

Op de HTS was er een leraar die het lichaam vergeleek met een motor, een body van metaal. 'De machine is in principe onsterfelijk, maar wij zijn onherstelbaar... tenzij chirurgen ooit in staat zijn om alle versleten onderdelen te vervangen.' Was ze een robot geweest dan had je haar opengemaakt in een vertwijfelde poging om het defect te repareren. Wat te doen aan kapotte wervels in een zwanenhals? Een smeekbede om Gods hulp werd niet zo direct verhoord, hartmassage mocht niet baten. Zelfs de oude, ervaren medicijnman kon de vrouw met de groene ogen geen nieuw leven inblazen.

Dit tragische ongeluk laat zich, achteraf, optekenen in termen van een schaderapport. Het relaas van de betrokken partij. Toen stond je machteloos en met stomheid geslagen. Het viel niet te bevatten.

De vrouwen hieven een geschrei aan, kinderen keken toe in stil onbegrip. 'Tante Iguana' was lief voor de kleintjes. In de schaduw van acacia's op de achtergrond staken de mannen de koppen bij elkaar. Chimôc nam argwanend de plek des onheils in ogenschouw. Hoe kon er een kink in de kabel zijn gekomen! Met een tongklikje merkte hij op dat de *hamaco* vannacht een armlengte hoger aan de hutpalen was geknoopt. Het viel niet te ontkennen – blijkens die mastworp had 'captain Dutch' het gedaan. *Por que?* Onder de omstanders ging een gemompel op.

Sommigen betreurden haar dood in de bloei van haar leven, anderen schenen juist wel opgelucht te zijn. Als een doem in de morgen rees de schuldvraag op. Vroeg of laat zou een rechter willen weten hoe de Waalse milieu-activiste werd uitgeschakeld. Och, wat kon dat schelen! Ze wás er niet meer – al het overige liet me koud. Nu ik haar leven door m'n vingers had laten glippen, mocht de duivel me halen. Met één klap was het sprookje uit.

Het overkomt een oude bootsman wel eens in een bordeel in Rangoon of Stavanger: *Mors in coito.* Gestorven op het moment van liefdesextase. Een mooie dood? Lucile Iguana leek, gezien haar vredige gelaatsuitdrukking niet ongelukkig te zijn. Om haar mond nog vaag een verrukt trekje. Nu kon ze opgaan in de cyclus van het oerwoud, en zo een heester worden met roze bloesem. De mythe van de verloren zuster. Shakiti, die deed alsof ze van geen kwaad wist, kwam stil in de hut rondsnuffelen. Toen ze aan het gebroken touw van de hangmat voelde, slaakte ze een gil. Haar gebaren spraken klare taal: doorgekapt! Bij nadere beschouwing bleek de breuk inderdaad verdacht. De snede was niet rafelig zoals die van een vuurstenen dolk, maar recht en strak. Het was blijkbaar gedaan met scherpstaal.

Eens even nagedacht. Het Zwitserse mes zat in de zijzak van je jeans… die je gisteravond in een staat van beneveling weg had gegeven. Aan wie? In elk geval pleitte het gemis van snijgerei 'senhor Dutch' vrij.

De dorpelingen bezagen elkaar nu met scheve ogen. De hoofdman nam de plek van het slinks gepleegde misdrijf op, en wisselde enkele woorden met zijn zoon. Waranau snoof eens. Het oplossen van een moordzaak kwam hem zeker slecht uit. Op de dag na het maanfeest was hun voorraad vis en vlees op. In die sfeer van katterigheid hielden de mannen, waaronder vermoedelijk de dader, zich in de schaduw van hutten op de achtergrond.

De stilte in de *shabono* gaf er iets onwerkelijks aan.

Chimôc spreidde een bed van balsembladen in de gastenhut, vlijde Iguana erop, en dekte haar zwijgend toe met een katoenen kleedje. Bezien in een waas van tranen, leek ze rustig te liggen slapen. Nog even feeëriek. Terwijl ik slap van verdriet naar haar stond te staren, tikte Shakiti me wakker. Droef glimlachend bood ze een kommetje met een dampend, bruin vocht aan. *Guarana*. De koffie van Amazonië, bitter maar wel pittig. In plaats van weg te zinken in treurnis was het beter om aan de gang te blijven. Het was zaak om je kleren en je persoonlijkheid terug te krijgen. Een grote, blote, roodgeverfde Hollander nam niemand serieus.

De dorpsoudsten waren voor een beraad bijeen in de staatsiehut. Er hing een bedrukte stemming. Nu er een toeriste uit Europa was omgekomen in hun ressort dreigde er een strafexpeditie. Wezenloos zat je erbij. Chimôc bleef staan, meer in de houding van een bewaker dan van tolk. Op een handklap van Waranau werd het stil in de kring. De hoofdman verwaardigde zich zijn gast even aan te kijken. Hij kuchte, kneep zijn ogen tot spleetjes, maar hij stelde geen vragen.

In de kring heerste grote bezorgheid. Aï-aï-aï, een westerse dame vermoord in Wapiniland! Nu ja, een westerse dame… zuster Iguana was één der onzen geworden, hè. Dit opperde Tio, een kalm gebarend baasje met vossenogen. Werd ze hier gewoon gecremeerd en ging ze in rook op, als een inheemse, dan kraaide er geen haan naar. Misschien waren alle partijen gebaat bij die oplossing.

Acordo, senhor? vroeg Chimôc.

Als haar weduwnaar in Indiaanse zin zat ik in twijfels verzonken. Moest ze niet begraven worden onder een zerk van marmer? Och, hoe dan ook, als het maar geen definitief afscheid werd. Het enige waar ik thans nog op hoopte, was een hereniging in de andere wereld. Chimôc vertaalde die wens met enkele sisklanken.

De ouden keken elkaar eens aan. De hoofdman sloeg zijn ogen neer – het oordeel was aan de sjamaan. Terwijl die zat te neuriën om voorouders te raadplegen, of zo, reikte een 'apache' hem een rood ding aan. Je Zwitserse zakmes. De blinde beproefde met zijn duim de scherpte van het lemmet. *Au.* Verbaasd likte hij bloed van de top af, dan deed een lachje zijn mondhoeken opkrullen. Goed scherp! De zo genoemde apache hield zich van den domme. Het mes scheen hij even overgenomen te hebben van Tio om een ananas te schillen.

Het corpus delicti was al zowat van hand tot hand gegaan.

Oude vrouwen zaten, bestrooid met as, te rouwen bij het lijk van Iguana in de gastenhut. Met de rug tegen een stam van een kokospalm kon ik half rechtop zitten. De minnaar die zijn geliefde niet los kon laten, die haar desnoods wilde volgen over de grens van het aardse bestaan heen. Malende koortsgedachten. Als een dierbaar ding koesterde ik haar amulet in mijn handen. Het builtje van leguaanleer knetterde even licht alsof het een medium was. Contact? Een dreun op mijn hersenpan deed de vonk van hoop op slag uitdoven.

Na een dooltocht door een ijl landschap lag je, bij kennis komend, op een kaal veld. Wolken omfloersten de zon of de maan. Toen in een waas van hoofdpijn haar gezicht opdoemde, was het leed geleden. 'Aah, Lucile!' Zielsblij reikte ik mijn handen naar haar uit om haar in mijn armen te sluiten, maar ze voelde zo week aan…

Boa tarde, senhor, zei Chimôc koel, *coma esta?*

Het bleek middaguur te zijn, en men had het dorp ondertussen al afgebroken. Hoe het ermee ging? Hum, dizzy voelde ik aan een pijnlijke buil op mijn kruin. Hoongelach. Chimôc wees schamper op de boom waaronder je gezeten had, en dan op een gevallen kokosnoot. Gaan zitten suffen onder een palm met volrijpe klappers! Wie op zo'n plek plaatsnam, wel, die kon geen Indio zijn. Men had het te druk met inpakken om zich met een sta-in-de-weg op te houden.

Alle diploma's, praktijkkennis en de titel 'shipmaster' ten spijt handelde je in hun ogen als een varken. Tja, in de rimboe viel er niets te sleutelen. Hoe hier enig verstand of vaardigheid te laten zien? In de stad zouden ook zij stuntelen. De oudste raadsman, die het Zwitserse mes nu in handen had, wist er niets beters mee te doen dan een kokosnoot lek te steken. Slurpend zoog hij er een scheut wit bloed uit op.

Ziedaar de kans om wat nuttigheid aan de clan te tonen.

Nederig vroeg ik mijn mes even te leen om de gebruiksmogelijkheden voor te doen, afgezien van het kappen van een hangmattouw. Eerst de loep. Een mier vergroot tot een rooftor… er ging een verbaasd gemompel op. Wisten ze dat er ook vuur mee gemaakt kon worden? Toen de zon even door de wolken brak, focuste ik op Waranau's handrug om de werking van een brandglas te demonstreren. 'Eéé!' Als door een adder gebeten, trok hij zijn hand terug.

Beduchte omstanders schenen er *black magic* in te zien.

Angst sloeg al gauw om in agressie. In plaats van applaus of een teken van waardering klonken er kreten van woede op. Terwijl onweerswolken over het dal schoven, en het midden op de dag donker werd, gingen de jagers tieren en schelden. Trammelant! Toen het menens werd, klonk er in de buurt een luide knal op. Boven de rivier steeg sissend een lichtbol de lucht in… Stom van de schrik stond iedereen met open mond omhoog te staren.

Uit het oevergewas dook een Europeaan op, in zijn hand een narokend seinpistool. Ah, Willie had zijn val in de bandjir overleefd. God zij dank was hij niet verongelukt, maar wat kwam hij hier nu nog doen? Als hij Lucile Maghales had willen redden, kwam hij jammerlijk te laat, dan had ook hij gefaald. Wel maakte die showbink indruk op de clan. Zijn imago van tovenaar werd kracht bijgezet door enkele donderslagen, echoënd over de heuvels.

Met een hand boven zijn ogen keek hij rond in het gewezen jungledorp. Alles tot aan de grond toe afgebroken. Mij als een 'gerougeerde' persoon herkende hij niet zo direct zonder pet of kledij.

Op zijn vraag aan de hoofdman waar de *Belga* was, wees Waranau op een stapel hutbalken aan de bosrand. Daar lag ze opgebaard in de schaduw onder een ceder. Toen hij haar zo zag, knipperde hij met zijn ogen en floot zachtjes tussen zijn tanden. Zijn stem klonk onbewogen: 'Who killed her.' *Hâh?* Op het snijgebaar van zijn hand langs zijn keel begrepen ze het. Na wat onderling gesmiespel wezen sommige dorpelingen 'senhor Dutch' aan.

Nu zag hij het pas goed. Zijn verbaasde blik gleed over je blote onderbuik, om zijn mond trok een spotlachje. 'Tjss…' Dan zuchtte hij eens en zijn gezicht trok strak. Het kon best zijn dat hij de enige westerse getuige nu nog tot zwijgen moest brengen. 'Gisteren dacht jij me als een snotpegel in de kali te kunnen droppen, hè, Schut.'

'Daar kon ik niks aan doen.'

'Nee?' Argwanend keek hij even rond en wees op Lucile Iguana. 'Zeg, wat is die zogenaamde Indiaanse vriendin van je overkomen?'

'Dat gaat jou geen moer aan.'

'Ik snap nu wel wie zij was, meester.'

Het kwam er stroef uit: 'Ze heeft een fatale val gemaakt.'

Hij tuitte zijn lippen en klikte met zijn tong. 'Jammer, maar dan is zij van haar zorgen af… wij moeten weg zijn vóórdat de roden van de schrik zijn bekomen.'

'Kalm aan, jongen, de zaak is nog niet afgerond.'

Met een hand aan zijn waterproof-camera nam hij het feeërieke lijk op. Uit een zekere piëteit – of om geen belastende feiten vast te leggen – zag hij van een foto af. Geen echte persman. De situatie dwong ons ertoe om rug aan rug te gaan staan. We mochten van geluk spreken dat de clan geen tijd meer had om ruzie met vreemdelingen te maken.

Vandaag kwam er geen siësta van. Na alle onheil van de afgelopen dagen weken de Wapini's uit naar een rustiger oord. Sinds de komst van Europeanen was het in Ajube niet vredig meer. Toen ze haastig hun biezen gepakt hadden, verfden ze hun gezichten zwart voor een laatste ereplicht. De cremate van zuster Iguana. 'Haar wens was een Indiaanse uitvaart,' zei ik Willie dof, 'ik heb hier nog wat af te handelen.' Ongedurig keek hij op zijn horloge.

'Straks landt er een *chopper* aan de overkant van de Alama.'

In het verlaten Zwitserse bivak had hij via de radio fiat gekregen voor een chartervlucht uit Maripasula. Hé, hoe kan dat nou – de batterijen waren leeg. 'Eerst dacht ik dat jij een speurder was,' zei hij schamper, 'maar je kunt niet eens zoeken!' Uit de bagage had hij reservebatterijen opgediept. 'We reizen fifty-fifty, hè, Schut.' Hem maar niet gezegd dat je in een delirium je broek met beurs en al weggegeven had. Het was zaak om een geestelijk overwicht te houden.

Langs zijn neus vroeg hij wat er met de Hernhutters was gebeurd. Ik haalde mijn schouders op. Gisteren beweerde hij nog dat hij niets van vermiste zendelingen wist. Sinds er in Ajube een *capitalista* om het leven gebracht werd, was ook de waarheid verdwenen.

Nu de bom gebarsten was, zochten zelfs de 'onbedorven' Wapini's naar uitvluchten. Geen nobele wilden. Chimôc ontkende met een ijskoud hoofdschudden dat de zijnen haar juwelen hadden. Wisten ze niet wat stelen was? Vadertje Tio wees op een paar halftamme apen, en maakte een gebaar van wie weet. Zo'n *kwata* kon, trouwens, met zijn messcherpe kiezen best het touw van een hangmat doorknippen. Ah, die twee 'lichtjes' in de nok van onze hut… ogen. Bij wijze van troost bood papa meewarig een nap *kasiri* aan, overgebleven van het feest.

Volgens de sjamaan was er een 'kwade geest' in het spel. De vraag was in wiens lichaam die gevaren was. Ja, ja, een onderzoek naar de feiten had dan geen zin. Een onstoffelijke dader als een *spirit* bleef te allen tijde ongrijpbaar voor de wet.

Toen ik mijn dorst had gelest met het zurige bier, moest ik braken. Een catharsis. Het werd tijd voor een bad in de kreek. Die verfrissing bracht me het 'ongeluk' weer helder voor de geest. Over het water starend, liet ik het de revue passeren. Was het een mystieke moord, een politieke of een *crime passionnel?* Scherp getimed, had iemand in het nachtelijk donker haar leven beëindigd op het hoogtepunt, en dat van haar minnaar teruggebracht tot een kwijnend bestaan voor de poorten van de hel. De rode huidverf liet zich niet in één keer afspoelen.

Na een wolkbreuk dreef het onweer over. Uit het dal steeg damp op. De woeste pracht van de jungle lag onder een floers van rouwtinten. Daaruit kwam met statige tred een Indio naar voren in westerse kleren. Die van mij. De man bleek de dorpsgek te zijn. Zou hij vannacht in zijn onnozelheid het touw van de hangmat hebben gekapt? Chimôc, die hem een *santo* noemde, rekende hem niet tot de verdachten.

Pruilend gaf de 'heilige' het shirt, de jeans en de schoenen terug. Het kleffe ondergoed mocht hij aanhouden. Hier straalde een bootpet met embleem wel enig ontzag uit. Geschoeid, aangekleed en met het paspoort op zak voelde ik me weer een beetje mens.

'Ah,' zei Willie grijnzend, 'ben je nu geen wilde meer?'

Eigenlijk nog wel, innerlijk. 'Ga jij maar alvast, maat… als ik over een uur nog niet opdaag dan hoef je niet langer te wachten.'

'Laat 't niet in de soep lopen, meester.'

Met een knipoog gaf hij zijn visitekaartje af als een all-round fotograaf uit Turnhout. W.O. Allyson. Zijn doopnaam? Hij was te glad om aan te pakken. Na een loerende blik op de dorpelingen in de piste schuifelde hij alert naar de waterkant. *Bye-bye.* De rivier, wat kalmer dan gisteren, leek nu wel doorwaadbaar zonder lijn. Zo niet dan had hij pech gehad.

In de schaduw van de woudzoom stond de clan nomaden in een sfeer van piëteit verzameld rond zuster Iguana. Opgebaard op een bos takken van balsemhout. Met gebogen hoofd voegde ik me er stom bij. Of de *marido* van de overledene de brandstapel zelf aan wenste te steken. Wie haar liefhad, mocht haar onzichtbaar maken.

Jong en oud, vriend en vijand, stonden er omheen geschaard.

Op aanwijzingen, nam ik met een ibisveer een gewijd vlammetje uit de stoof van de sjamaan. Stak met een schrijnend hart het hout van de stapel aan. Lucile Maghales kreeg een marinesaluut: 'In godsnaam, lieveling, vaarwel!' Onder liederen voor haar ziel ging het vuur loeien en knetteren. Lichtend ging ze in vlammen op. Vonken dansten door de lucht, een spiraal witte rook steeg tot boven de boomtoppen uit.

De koesterende warmte van het vuur droogde vanzelf onze tranen. Nu was haar ziel vrij als een vogel. Na haar uitvaart, of noem het een opstijgen, ruimde men stil de plek van de crematie op. De as en wat overgebleven botjes werden eerbiedig verzameld in een aarden kruik, iets als een urn. Vergeten wat as te vragen voor haar familie. Over de geblakerde grond werd een laag bladeren heen gestrooid. Zo ging het grauwe eraf. Over een paar weken zou alles hier weer even groen zijn.

Sterven, in het oerwoud slechts een transformatie.

In de balsemieke rook had ik, zo even, een vleugje van haar wezen opgesnoven. Dat van een amazone. Het besef rees dat je niet op mocht geven, maar deze affaire in haar geest voltooien. Het gaf een doel voor ogen. Op mij rustte de taak om het goed te maken door haar missie over te nemen, en in haar stijl uit te voeren. Nieuwe hoop voor de clan.

Na het wegvallen van hun beschermvrouw zou 'senhor Dutch' er, zo mogelijk, voor zorgen dat ze met rust werden gelaten. Geen sinecure. Soja gold in Brazilië als het nieuwe goud. De snelgroeiende bevolking was constant op zoek naar landbouwgrond – volgens haar 'dankzij' de paus, die voorbehoedmiddelen was komen verbieden. Hoe de invasie van paupers een halt toe te roepen? Zij had het met een pendel tegen het kruis op willen nemen. Het leek beter om kapitaalkracht in te zetten als geschut. Het conflict tussen de inheemsen en de ontginners in het district Amapa moest uitgevochten worden met de troef van haar financiële nalatenschap op het gerechtshof in Brussel.

Het ging om het voortbestaan van het Wapinivolk. Nu het op samenwerking aankwam, moest hun vertrouwen in de *blancos* hersteld worden. Laat je zielige houding varen! De man die openlijk zijn emoties toonde, werd hier aangezien voor een slappeling.

Shakiti bood een nap bananenpap aan, maar eigenlijk had ik geen trek. Voor de beleefdheid één hapje genomen. Het smaakte bitterzoet en knarste lichtelijk tussen de tanden alsof er nog wat aarde doorheen zat.

Waranau ontbood me voor een korte bespreking. 'Wij zijn onschuldig,' vertaalde zijn zoon, 'en moge het een en ander onder ons blijven.' Geruststellend legde ik een vinger op de lippen. Weliswaar moest er een rapport over de verdwijning van madame L.D. worden opgemaakt, maar dan wel oprecht en zonder insinuaties. Er was geen moord met voorbedachten rade of een feitelijk geval van kannibalisme gebleken. Vooralsnog kregen de Wapini's het voordeel van de twijfel.

De afgeleefde, oude sjamaan bleef hier. Na een leven lang uitwijken voor de oprukkende civilisatie had Ighyas geen zin meer om nóg eens te verhuizen. De gebruikelijke manier waarop onnutte ouderen hun last onttrekken aan de clan. Eigener beweging bleef hij achter op de plek van het spookdorp om er te versterven. Zo zou het Iguana's ziel niet aan gezelschap ontbreken, zullen we maar zeggen.

Wat er van haar stoffelijke wezen gered kon worden, was haar journaal, de pendel, die platina ring en haar testament. In plasticfolio bleven de papieren wel droog, maar de inkt op de cheque van de *Banco do Brasil* baarde zorgen. Sommige cijfers van bloed met potroet gingen al verbleken. Hoog tijd om af te reizen naar de bewoonde wereld.

Van hun armoedje gaven de Wapini's me een mand met wat proviand mee. Cassavebrood en een bladrol met repen vers vlees. Hee, al hun jachtbuit was toch op? *Cavia*, zei Chimôc, *nos nao caribes!* Hij bezwoer dat zijn stamgenoten allang geen menseneters meer waren. Later zal blijken dat hij er toch iets te veel mee gezegd had.

De geslonken Rio Alama leek stroomafwaarts redelijk bevaarbaar. Willie zou de rivier deze keer wel overgekomen zijn. Bij nader inzien ging ik toch liever niet samen met hem via Frans-Guyana. Boven de bush was een duwtje uit het vliegtuig al genoeg. Om haar advocaat en de notaris in Brussel te kunnen bereiken, mocht er geen enkel risico genomen worden. Als je ergens onderweg verdween, zoals de Hernhutters, was alles verspeeld. Dan maar liever alleen, noordwaarts met de stroom van de grensrivier mee.

Na een doorwaakte nacht en een sterfgeval was het een zware opgave om een vlot te bouwen. Alles leek grijs omrand. Ik richtte me tot de zoon van de hoofdman met het verzoek om een vaartuigje. Na wat droeve tonen uit zijn fluit, knikte hij, en gaf me zijn eigen kano. Gemaakt van één enkele bastplaat maar licht, taai, en sterk van constructie.

'Gracias, amigo.'

Nu onze prinses *morto* was, waren we geen liefdesrivalen meer. Uit Chimôcs houding sprak dat haar heengaan hem aan het hart ging, maar hij droeg zijn verdriet waardig. Uiterlijk onbewogen. Moeilijk voorstelbaar dat hij uit jaloezie de hangmat had gekapt. Hoewel hij ondoorgrondelijk bleef, scheen hij toch wel blij te zijn dat 'senhor Dutch' er vandoor ging.

Er volgde een kort afscheid van de clan. 'Jullie hebben alles al,' zo deed papa Tio weten, 'laat ons het woud houden.' Met een duim-opsteken beloofde ik m'n best ervoor te doen. Alleen Shakiti wuifde me na. Met ongeveinsde opluchting zagen de andere dorpelingen de laatste Europeaan op hun steigertje in een kano stappen – bijna meteen om.

Op de belommerde rivier viel het wel uit te houden, het water was voor een Hollander een vertrouwd element. Geen spoor van de Zwitsers te bekennen. Bij de eerste bocht liet ik de paddel even rusten en keek om. In het afgebroken dorp rookte de plek van de brandstapel nog een beetje, daar gloeide een vage gloed na. Die plek zou al gauw overwoekerd zijn met onkruid, en weer rimboe worden, alsof er nooit wat bijzonders was gebeurd... Kijk uit, draaikolken!

De grillige stroom liet geen ruimte voor duistere overpeinzingen.

Aan het eind van het dal kletterde een waterval. De kano moest op de rug worden genomen. Terwijl ik me door de oeverbegroeiing heen wrong, klonk er geronk op uit de richting van het grensgebergte. Er naderde een metalen libel. De helikopter van piloot George met Willie in de cockpit scheerde over het water. Wie er gezocht werd dat was duidelijk. Toen de wentelwiek naar het oosten afzwenkte, werd het weer stil in de vallei van de vogelvrijen.

Een landkaart was er niet meer, maar och, alle rivieren monden uiteindelijk in de oceaan uit.

De enige levende wezens die zich lieten zien, waren zilverreigers en eens wat zonnende kaaimannen aan de oever. Zwijgzame beesten. Soms praatte je maar wat met de kano – met z'n basthuid had het scheepje iets amicaals. Toen de stroom laat in de middag onoverzichtelijk werd in damp en schaduwval was het tijd om aan wal te gaan. Een landtong met kiezels bij een zijarm. Na een maaltje van maniok en stripvlees spreidde ik triest wat riet onder de omgekeerde kano. Het werd een eenzaam nachtleger. In de avondschemer met pijnlijke ogen een passage uit het reisschrift van L.D. doorgenomen.

> (...) *Ten onrechte verdenkt m'n beschermer de clan van kannibalisme, iets wat zij allang afgezworen hebben. Ooit werden niet-stamleden tot het dierenrijk gerekend, zoals b.v. de behaarde Europeaan, die ruwe keelklanken uitstootte. Het nuttigen van 'barbaren' stond gelijk aan de jacht en niet aan levensroof; het juridische aspect is onder koloniale wetgeving bestempeld tot een 'act of crime' en wordt gerespecteerd door de naturellen, op een enkel geval na bij geïsoleerde clans. Niet zonder schroom beamen de dorpsoudsten dat het vroeger in tijden van schaarste wel eens voorkwam; thans worden hun doden gecremeerd. Om de geliefde overledene a.h.w. in zich op te nemen & in hun midden te houden, vermaalt men het gebeente in een zoete mousse...*

Het werd te donker om verder te lezen. Dus toch! Het geheugenbeeld van de nap met 'bananenpap' lichtte op als een komeet in de nacht. Die bitterzoete nasmaak van het rouwmaal. Haar extract? Per ongeluk iets van Lucile naar binnen gekregen... ach, het was nu eenmaal gebeurd. In alle eenzaamheid viel er enige troost uit te putten. Zo waren we in zekere zin toch weer verenigd. Met dat idee legde ik me ten ruste, en lag nog even omhoog te staren naar de sterren boven de evenaar.

Lucy in the sky with diamonds.

In alle vroegte ontwaakt door het gebruis van de rivier. Een kanovaarder kon in een dag of vijf op de boven-Marowijne zijn. De zon ging door de ochtendnevels heen gloeien. Geen trek in een ontbijt. Het zoemende leger van muskieten maakte nu plaats voor dat van vliegen. Na een bad zonder zeep of shampo maar meteen van wal gestoken.

Langs de rivier rezen over de hele lengte muren van groen op. Nergens op de route een teken van beschaving. Uit niets viel af te leiden of de datum er een van vóór of van na Christus was.

Voor een telg uit een vissersfamilie viel het afzakken van de stroom wel te doen. Hier en daar alleen wat bijsturen. *Go with the flow.* Vriend kano hield zich taai, maar verderop werden we op de proef gesteld. In stroomversnellingen leek de Alama wel een wildwaterbaan! Voorbij elke kronkel konden er klippen verschijnen in het verschiet. Het kraken van de kano ging allengs klaaglijk klinken. Het was zaak om voorzichtig te laveren en je vaartuig heel te houden om de missie te kunnen volbrengen.

In de regentijd doemden er links en rechts zijstromen op. Op een gegist bestek ging het noordwaarts. Het enige beschikbare instrument voor de navigatie was haar pendel, als een kompas in het nevelrijk. Het amulet van leguanenleer aan je borst werd glad van het zweet. Bij een tweesprong in Godsnaam maar gekozen voor de kant van de regenboog. Na drie dagen varen werd de stroom kalm en wijder. De kano ging lekken. Bij de overgang van hoog- naar laagland kwam kamp Quamal niet in zicht. We zaten zeker op de verkeerde waterweg – nergens waren er mensen te bespeuren. De proviand raakte op. Koorts als een symptoom van malaria of van tropenkolder? Bij het onderdoorgaan van een over het water hangende wilg greep je in een wespennest. Vurige steken! De gedachten aan Lucile, nóg smartelijker, werden een poos lang onderdrukt door de verlammende pijn van het angelgif.

Onbestuurd dreef de kano een soort maanlandschap in.

Kijk daar eens: dit bleef er van het regenwoud over na grootschalige mijnbouw. Het gebied was onleefbaar geworden voor mensen en vee. Om dat te voorkomen had zij zich opgeofferd. Iemand die de dood niet als het einde zag, maar als een nieuw begin. Nu ik met de neus op de feiten was gedrukt, nam ik me grimmig voor om haar niet teleur te stellen in haar laatste wens. Het ging om de groene longen van de wereld.

De rivier stond geen dromerijen toe.

Een verbleekt plaatsnaambordje op een wrakke steiger bij enkele loodsen met roestige zinkplaten deed vermoeden dat we in Suriname waren. De boel bleek verlaten. Plensbuien wisselden af met periodes van felle zonneschijn. Het water werd grijs van het slib. Naarmate de rivier breder werd, kwam er minder vaart in. Ten slotte vastgelopen tussen een warnet van luchtwortels in een modderbank. Van uitputting zakte ik midden op de dag in de kano in slaap.

Eé, basi, zo klonk een bronzen stem op, *faa waka*? Sranantongo-taal. Het was een kale, zwarte man met een zonnebril. De oudste van twee Aucaners in een motorkorjaal. Ze keerden met een vracht rum in jerrycans terug uit Amapa. Aardige lui – je kano mocht gerust wel op sleeptouw. Motorgeronk voerde mijlen lang de boventoon. Buiten de zuiging van stroomversnellingen hieven de schippers *kawina-songs* aan, opgewekt, terwijl hun passagier stil in rouw zat verzonken.

Gayo en Kaloe. Officieel marrons maar zelf verkiezen ze, trots op hun vrijgevochten status, de geuzennaam 'bosneger'. Van oudsher delen ze hun jachtgronden in vrede met de inheemsen. Volgens Gayo vormen de beide volkeren één front tegen de ontginning van het oerwoud. Tja, ach, eigenlijk een vrij machteloze minderheid.

Ter afleiding van doemgedachten hield ik me onderweg bezig met wat hengelen. Dat deed vader ook vaak na de dood van Sijtje, alleen aan de IJsselmeerdijk. De vracht jerrycans in de korjaal rook naar alcohol. Een verleidelijke geur voor een wankelmoedige Urker. De schippers zagen er alleen maar handel in, zij waren dronken van het leven zelf.

Kaloe bakte fluitend een paar katvissen in olie met *pimento*. Het maaltje leverde zeeziekte op. Ik was niet meer de oude. Enfin, eigenlijk maar goed ook. Nu er grote belangen op het spel stonden, kon ik me niet de minste fout of lichtvaardigheid meer veroorloven. De jaren van scheepsgezel en het 'laat maar waaien' waren voorbij.

Aan het eind van de Litani kwamen we op de Lawa uit, een meanderende rivier langs de grens van het Betwist Gebied. Almaar noordwaarts door het laagland. Op dit traject, alleen bevaarbaar voor boslanders, geen bevindingen van belang voor het dossier Iguana.

Langs de route doemden her en der tekens van de nieuwe tijd op.

Drie dagen later uit de korjaal gestapt op de steiger van Benzdorp, een oord van cacaohandel aan de Marowijne. *Baïbaï, basi,* zeiden de schippers, *go boeng*. De vaartocht kon betaald worden met de kano, maar hier werd reizen een kwestie van geld. Omdat creditcards in Benzdorp geen waarde hadden, verkocht ik zonder hartzeer mijn verlovingsring aan een Chinese goudweger. Het beeld van Loes was stilaan verdrongen door dat van een etherische vrouw.

Na een lange reeks van pech en tegenslagen nu eindelijk eens een gelukje. Er landde een klein vliegtuig. De lijndienst van de SLM scheen nogal onregelmatig te zijn, maar die middag ging er een vlucht naar Paramaribo. Het principe van *full, away*. Je kon vrij vlot inchecken voor een seat in een Twin

Otter voor twintig passagiers. Terug in de volle leegte van de moderne wereld.

Tussen Surinamers op het vliegveld stond een bebrilde landgenoot. Een bioloog uit Leiden. In het regenwoud had hij een nieuwe soort *orchis* ontdekt. Blij klopte hij op zijn botaniseertrommel. 'Iets voor in de Encyclopaedia Britannica, meneer.' In het zuiden had hij een schat gevonden, ik was er een schat verloren.

Bij geen mens kon je je hart luchten. Het verhaal van Iguana lag te gevoelig in ons vroegere rijksdeel. De groei van het toerisme was te belangrijk. Ze was 'verongelukt' in Noord-Brazilië, ja, maar wel in het betwiste gebied. Wie van de beide landen zou bij een grenscorrectie de doem van een verdwenen toeriste erbij willen nemen?

Na enige vertraging steeg het toestel op.

In de lucht boven het oerwoud had Roelof het op een gedreven toon over zijn veldwerk. 'In één woord fascinerend!' Tijdens een adempauze vroeg ik terloops of hem wat bekend was van aardolie in het grensgebied. Dat niet. Wel was het hem opgevallen dat de planten er, misschien door isotopen in de grond, iets doffer bloeien dan elders onder de evenaar. Het kon op de aanwezigheid van uranium duiden. Zo, zo…

Roelof zat maar door te ratelen – om tureluurs van te worden! Gelukkig besefte hij zelf wel dat zijn geestdriftige wijdlopigheid anderen al gauw te veel werd. 'Weet u, meneer, ik lijd ik aan een vorm van ADHD.' Hyperactiviteit tot in de volwassenheid, zo verklaarde hij meesmuilend.

Was iemand als Sijtje Schut daar dan ook niet mee behept?

'Hé, professor,' zei ik nu het onderwerp me aangreep, 'vertel er eens wat meer over.'

Een kwartier later was het zo ongeveer duidelijk wat types als zus Sijtje en Lucile apart maakte. Een 'surplus aan levensenergie', zoals hij het zei, dreef hen voort in het najagen van chaotische plannen in hun rusteloze brein. Ze bedoelen het goed. Ach, ze hadden wel wat begrip verdiend in plaats van altijd maar standjes en hoon. Kennis die deze noodlottig afgelopen affaire nog droeviger maakte. Of was het slechts de prelude van een reeks onvoorstelbare verwikkelingen?

In de hoofdstad aan de Atlantische kust viel de oceaan weer te ruiken. Vleugjes zilt in de zeebries. Een opluchting na alle benauwenis in de rimboe, maar in Paramaribo broeide onrust. Gezien legerjeeps in de straten leek de politieke toestand gespannen. De nasmeulende December-moorden laaiden weer op, verkiezingsposters gingen in de fik. Op het Onafhankelijkheidsplein schalden pro- of anti-Bouterse leuzen op. Zwarten contra kleurlingen. Bij de winkels in de Domineestraat liepen nog maar weinig witte toeristen rond.

Op een kamer van een logement aan de Waterkant uitgerust voor de thuisreis. Het retourbiljet van de SLM was nog een week geldig. De bush-trotter, om een groot woord te gebruiken, moest nu weer een gentleman worden.

De kassier van het havenkantoor herkende 'meester Schut' eerst niet. Een ander mens geworden. Zuur telde hij de extra verblijfskosten uit in Surinaamse guldens – een dik pak smoezelig geld met vrij weinig waarde. 'De rederij heeft al 'n paar keer voor u gebeld, sir.' Laat maar gaan. Het zou niet verstandig zijn om de S.I.S. via de telefoon te informeren over het hoe-en-wat van het oponthoud.

In de bazaar kocht ik een kaki broek, sokken, een nieuw shirt en paar goedkope maar nette tennisschoenen. In Toemoekhoemak was ik zo afgevallen dat de confectiematen me nu wel pasten. Na een scheerbeurt leek ik in de spiegel echter nog geen onschuldige toerist. Er ontbrak een vakantie-glans aan. De *onoto*-verf op je wangen was ondertussen ver-bleekt tot de teint van een dodenmasker.

Was het niet altijd het beste om recht door zee te gaan? Nu ja, in dit geval was het geraden om contacten met de over-heid te vermijden. Eerst haar testament regelen – daarna deed niets er meer toe. Als haar zaakwaarnemer nam ik de vrijheid om de brief aan haar notaris in Gent te openen. Bij het licht van een peertje liet het stuk zich niet lezen zonder het opwel-len van tranen.

Confidentieel
Weledele meester Duchamp, bij deze machtig ik U tot het uitvoeren mijner wilsbeschikking, opgemaakt te Ajube in Tumucumaque.
Gezien de brouille met Michaël, schenk ik mijn deel van de nalatenschap aan de Wapini-clan in het district Amapa (informatie: agentuur v/d Fundação Nacional do Indio te Porto Poët) en hierbij permissie om mijn aan-delen in zijn impresariaat te verkopen.
Moge, naar mijn hartewens, de bovengenoemde inheem-sen ten volle profiteren van deze charitatieve bestemming ter behoud van hun erfgrond en hun tradities.

De pensionhoudster, Missy, was een Creoolse moeder met drie kleine kinderen. Een gewezen gogo-danseres. Als onge-huwde vrouw stond ze er slecht voor. Vanwege de malaise waren er geen andere gasten in 'huize Hollandia' meer. Ze leefde in een fatsoenlijke armoe. Eerdaags zouden de kleu-ters naar school moeten, waar haar het lesgeld voor ontbrak. Lieve, leergierige kids. Voorlezen over de streken van de slimme spin Anansi, daar waren ze altijd voor te porren.

Ze hadden al gemerkt dat het leven niet één groot feest was.

Voor het avondmaal werd de gast met egards aan de keukentafel genodigd. Neuriënd diende de warmhartige Missy een zelfgebakken taart met gember op. Zo lekker dat je eindelijk weer wat at. De kinderen wisten wel raad met de rest. Toen ze naar bed waren, zaten wij zorgelijk het radiobulletin van tien uur te beluisteren.

'(…) …de stop op de ontwikkelingsgelden is ingeslagen als een bom. Berichten dat de ex-legerleider over gewapende Tucayana's zou beschikken, zijn door de regering bangmakerij genoemd. Het gerucht dat in Paramaribo een verkenner van de Nederlandse mariniers in burger is opgedoken, wordt betwijfeld. Wel zijn de grenscontroles verscherpt, en blijft het leger voorlopig in staat van paraatheid…'

De pensionhoudster zat me peilend aan te staren.

'Wat is er, Missy?'

'Masra draagt een *spirit* met zich mee, hè.'

Ver van de plek van het 'ongeluk' scheen ze de tegenwoordigheid van het slachtoffer aan te voelen. Als je er last van ondervond dan kon zij je, desgewenst, wel van de 'winti' bevrijden door deze uit te bannen. Er even over nagedacht. Was Lucile lastig? In zekere zin wel – ze vervulde mijn gemoed met verdriet en wroeging. Toch wilde ik de strohalm van haar zielsaanwezigheid voor geen prijs loslaten, zelfs niet als het koesteren van zo'n soort gezelschap pijn deed. Het zou mooi zijn als je kon aantonen dat het slachtoffer niet echt dood was, maar ja, dit viel alleen hard te maken bij een voodoo-rechter. Een westers hof zou concrete bewijzen van existentie eisen. Het werd zo langzamerhand tijd om je familie thuis eens een levensteken te geven.

'Bedankt, Missy, kan hier intercontinentaal worden gebeld?'

In Urk werd opgenomen met 'Ja, mevrouw Schut.' Toen ma de stem van zoonlief hoorde, snikte ze even. In de bange verwachting van een doodsbericht was ze geschrokken toen de telefoon oprinkelde.

'Binnenkort hoop ik terug te komen, moeder.'

'We dachten al dat…' Het werd onderbroken door de basstem van pa. 'Waarom hei-je potverdomme al die tijd niks van je laten horen?'

'Dat vertel ik thuis wel, vader.'

De familie had op het punt gestaan om de ambassade in te schakelen. Dit had de affaire aan het licht gebracht! Wat een geluk dat hun ongerustheid net op tijd gesust werd – of kan zo iets geen toeval meer zijn? Het werd oppassen om de loop der gebeurtenissen geen magische aspecten te gaan toekennen. Punt één was op de been blijven. In de jungle had je gezondheid zo'n knauw gekregen dat de afwikkeling van de zaak een race tegen de klok werd.

Bij de SLM geboekt voor de vrijdagvlucht naar Schiphol. Op de markt kocht ik wat schetsboeken en kleurkrijtjes voor de kinderen. Die waren er voorlopig zoet mee.

Op de avond vóór het vertrek maakte de pensionhoudster een kruidenbad klaar. *Wiwiri*, iets voor versterking. In een tobbe met bruin sop onder een pomorosa op het achterplaatsje moest je tien minuten gehurkt zitten. Het zweet brak je uit, je ballen gingen tintelen. Via het ruggemerg steeg er met een duizeling een golf van leven omhoog naar het hoofd. Toen ik dampend uit de tobbe stapte, had ik niet langer het gevoel een wandelend lijk te zijn.

Als dank kreeg Missy de platina ring van de Waalse. Zij zou het wel goed vinden. Eigenlijk kwam het juweel aan haar broer toe, maar die kon het als een belastend voorwerp achter de hand houden. Missy was er o zo blij mee. De kinderen mochten alles hebben wat je niet meer nodig had bij het verlaten van tropenzone.

Op de middag van 3/3 per bus naar Zanderij. Willie, die via Cayenne was gegaan, was vermoedelijk al in Europa. Gelukkig had hij het journaal van 'Iguana' niet in handen gekregen. Dit droeg ik onder mijn shirt achter mijn broekband. De cheque zat in mijn schoen en haar testament was in de bodem van de reistas genaaid. Je was zoals je je voelde. Een bezwete *bakra* met een bootpet en zonnebril tussen een drom getinte passagiers in de nerveuze sfeer van afscheid en vertrek.

Soldaten checkten de bagage van reizigers voor de vlucht naar Amsterdam. Niets loos. Je reistas woog te licht voor het vervoer van wapens of contrabande. Gedrang in de fuik van de luchthaven. Nog vóór het betreden de vertrekhal werd ik op de schouder getikt door een jonge douanier. 'Meneer... is dit van u?' Hij hield iets groens op: Iguana's amulet aan het gebroken koordje.

Hij twijfelde eraan of leguanenleer wel uitgevoerd mocht worden. Onverbiddelijk ging hij voor naar het kantoor. In het schemerige lokaal liep je tegen een lijmstrook voor vliegen op. Zoemend draaide een fan aan het plafond. De chef van dienst, een statige mesties, wees met zijn kin op een stoel bij zijn bureau en hij keek benieuwd op.

'Wel, uhhh, is 't haar gelukt?'

'Wat?'

'Of ze u heeft weten te betoveren.'

Grijnzend bekeek hij het builtje met een hartvorm. 'Iguana, hè.' Zelf afkomstig uit het bovenland had hij er verstand van. 'Zo'n talisman komt uit Noord-Brazilië, een *maraquita*, vrouwen spinnen er het hart van de man van hun keuze mee in.'

'Ah...'

Hij woog het op zijn hand, rook er aan, kneep er in. De inhoud knerpte als poeder. Hij liet zijn wenkbrauwen rijzen, haalde een schaar uit zijn lade. Met een gemompeld excuus tornde hij het stiksel op de naad los, en pulkte er met ingehouden adem een tipje kastanjebruin pluis uit. 'Hee… mensenhaar?' Ik zat sprakeloos.

De chef tikte peinzend met zijn balpen op het bureau. 'Tja.' Het leer van de *iguana*, hier niet bedreigd, bleek toch wel te mogen. Hij zag alleen een lijst in voor de uitvoer van menselijk materiaal.

'Nou, vooruit, laten we zeggen poppenhaar.' Minzaam gaf hij het souvenir terug. 'Dit plukje kan er wel door, het is niet van een zeldzame soort, hè.'

'Nee…'

Eigenlijk wel, die van de laatste naturellen. In plaats van haar amulet aan het hart te dragen, stak ik het nu maar in mijn broekzak. In de wereld der ratio op luchthavens viel er geen heil van te verwachten. Opgelucht stond ik op, tikte aan mijn pet, en zeulde mijn tas naar de deur. In het lokaal ging een fax ratelen. 'Ho eens even!' De chef keek me scherp aan. 'Wat de douane in Nederland ervan vindt, meneer, dat is natuurlijk een andere zaak.' Bedankt voor de tip.

In de taxfree shop een Guyaanse broche voor moeder gekocht, en voor vader een stel sambaballen. Tjss-tss-tss-tjss. Bij elke stap rikkelden ze in de gele plastic tas alsof de krekels in het Alamadal door bleven tsjirpen.

Het werd wachten in het geroezemoes van de drom reizigers. Piekerend haalde ik een smoezelige envelop uit mijn zak. Staarde naar een foto van de expeditie op de steiger in kamp Quamal. Het zendingspaar keek star in de lens, Lucile met zonnehoed in haar safaripakje. Op een andere foto viel ze, 'verpopt' in Ajube, amper op tussen blote Indio-vrouwen. De vraag was of wij, op z'n Indiaans gehuwd, nu wel wettige echtgenoten waren. Er bestond geen akte van, geen priester had er zijn zegen over uitgesproken. Onze verbintenis berustte op een betovering.

Voetje voor voetje naar de passencontrole.

Bij de balie stond een marechaussee van het formaat van Mike Tyson. Toen ik hem mijn pas aanreikte, trok ik die per ongeluk weer uit zijn hand – het boekje bleef kleven aan zweterige vingers. De reus keek gekleineerd op. Hij griste het terug en nam nu de tijd om alles te checken. Er ontbrak een *out-stamp* van de politie in Paramaribo aan.

'Dat zal alsnog moeten gebeuren, meneer.'

'Maar dan mis ik m'n vlucht…'

Een padibaas in de rij bitste 'Ja, en wij ook!' Niemand scheen zich wat aan te trekken van dat stempel tegen betaling. Er werd van geldklopperij gerept.

'Psst, Schut,' lispelde iemand, 'nooit meer terugkomen, hoor.' Het was een gezet, kaalhoofdig heertje met een zonnebril en gekleed in een Bermudashirt. Adjudant Garsing in burger. Als hoge piet van de vreemdelingendienst gaf hij de wachtmeester een teken, waarop die een gebaar van doorlopen maakte. *Bye-bye.* Bij de gratie Gods mocht je het land verlaten.

Op het uur dat de Boeing opsteeg, viel de schemering over het bosland rond Zanderij. Plantages aan het dof blinkende lint van een rivier. We vlogen over het stratennet van Paramaribo. Ooit een Indiaans dorp zoals Ajube… Om daar niet almaar aan te blijven denken, sloeg ik ter verstrooiing de krant open.

Het nieuws in *De West* was, zoals gewoonlijk, weinig rooskleurig. De werkloosheid nam toe. De ene staking na de andere. Als een natuurparadijs wachtte het land nog aldoor op ecotoeristen. 'Bij gebrek aan geloof in groen goud verliezen wij de concurrentieslag in de regio Caribië.' Tussen alle mineurberichten toch ook wat verheugends:

ZWITSERS TERUG

Quamal. Een paar zendelingen van de Hernhutterij dat vermist werd in het zuidelijke grensgebied, is weer opgedoken; bij hun bezoek aan een Indianenstam waren zij in moeilijkheden geraakt. Binnenkort zullen zij alsnog een poging doen om het evangelie in het hoogland te verbreiden.

Lucile Iguana zou het betreurd hebben! In elk geval scheen haar verdwijning nog niet bekend te zijn bij de pers. Of censuur? Och, Suriname is best een mooi en veilig vakantieland. De mensen zijn er vriendelijk. Wie rept van een 'bananenrepubliek' dient wel te beseffen dat Nederland de boel in een deplorabele toestand heeft achtergelaten, en misschien niet genoeg aan ontwikkelingshulp heeft gedaan.

Ladies and gentlemen, you may loosen your seatbelts.

Onder de medepassagiers in de cabine, Economy Class, trad een sfeer van ontspanning in. Mensen op weg naar het beloofde land. Beneden raakte de kust van Zuid-Amerika uit zicht, naar het noordoosten strekte zich het water van de Atlantische Oceaan uit. Die kant op werd het gaandeweg donker.

In de lucht las ik triest haar journaal met een kaft van marrokijn na. Het relaas van een teloorgang. Hier uiteraard geen vermelding van intieme of persoonlijke passages, alleen dit: (…) *De brave Herman, aan wie ik zo veel te danken heb, hoeft overigens niet te weten dat ik aan een ongeneeslijke vorm van leukemie lijd; mijn resterende levenstijd zal ik besteden aan de voorbereidingen van mijn zielsverhuizing, waarbij aangetekend, dat de dagen in Ajube mij voorkomen als evenzoveel jaren in het paradijs...* Gelukkig had ze nauwelijks of niet geleden.

Nederland heette ons welkom met een maartse bui en sneeuw-randjes langs de landingsbaan. Grijs alom. Passagiers van de vlucht uit Paramaribo wachtte een extra strenge controle op drugs. Met de klep van je pet laag over de ogen stond je in de rij. *Jetlag.* Bij de passenbalie ging het erom spannen.

De immigratiebeambte, een pietlut, vergeleek de pasfoto eens met het gezicht van het model. Hij trok zijn wenk-brauwen op. 'Zo, meneer... vakantie gevierd?' Het document was een beetje goor geworden op een roeterig Lybisch schip, nou, en wat dan nog! We waren weer in het land van de kren-tenwegers.

De *maraquita* met haarlok kwam ongemerkt door de douane heen. Het leek wel alsof de drager een 'vrijgeleide' van hogerhand had. Nu ja, blanke passagiers mochten al gauw passeren.

Slap en koortsig op de rolband naar de uitgang van de luchthaven, alleen in de massa reizigers.

Tussen de ophalers in de buitenhal stond deze keer geen enkele bekende. Geliefden wuifden en drukten elkaar blij om hun weerzien aan het hart. Op dit punt was het verleidelijk om een taxi naar Urk te nemen, maar eerst moest je het testa-ment bij haar notaris afleveren. Nu in één ruk door naar België! In Gent kon er pas een streep onder gezet worden – ach, eigenlijk nooit. De verloren zuster. Vroeg of laat zou ze weer aan de oppervlakte komen als een meermin in een zee-mansverhaal.

Na de loomte van de Guyana's was Schiphol een heksenke-tel. De roltrap naar de NS-corner maakte draaierig. Zo langzamerhand erg ziek, moest ik er van afzien om direct naar Gent te reizen. Voor een medische check was Amsterdam nu eenmaal dichterbij.

Wankel de hellingband afgezakt naar het ondergrondse station. Op een fluitsein reed de trein naar Amsterdam CS net weg. Om de wachttijd te benutten, leunde ik hoestend op een perrontelefoon om Willie te bellen. Toetste het nummer in Turnhout van zijn visitekaartje in. Door geruis en klikken heen klonk er een hese vrouwenstem. *Yes, hallo…* Met een kennis van de baas, iets persoonlijks. Op de achtergrond was het geluid van typen te horen, dat bij haar roep ophield.

Hijzelf dan: 'Alles kits, meester?' Het klonk ietwat spottend.

'Ik wilde jou heus niet in die maalstroom laten vallen, Willie.'

'Nee?' Een schamper kuchje. 'Toen ik het overleefd had, ben ik 's nachts boos de dessa in geslopen.' Daar waar uit één van de hutten een Hollands geknor opsteeg, deed zich de kans op revanche voor. 'In het donker dacht ik, dat jij in die hangmat lag te wippen met een inlandse meid…' Voor de verrassing had hij het touw gekapt met zijn Trail Cutter.

'Sorry, ik kon niet bevroeden dat zij er de dupe van werd.'

'Tssj!' Ik slikte een hartgrondige vloek weg. 'Het klinkt alsof jij het eigenlijk niet eens zo erg betreurt.'

'Och, wie wel? Neem de houtkapbedrijven maar eens, de zending, en niet te vergeten haar erfgenamen.' Een zuchtgeluid. 'Jammer, hoor, maar zo'n indianenhoedster past in niemands kraam.' Aan de andere kant van de lijn werd opgehangen.

Met een hoofd vol pijn en puzzels stapte ik in de trein. Het was geen huurmoord of zo, maar gewoon een vergissing! Te midden van alle hocus-pocus in het Indianendorp viel ze ten prooi aan een ongelukkige samenloop van omstandigheden. Domme pech. Tot op zekere hoogte was het wel te beredeneren, maar niet te bevatten.

Het schommelen van de wagon werkte versuffend. Koortszweet koelde af tot druppels ijswater. Vertragende hartslagen. Ter hoogte van de Westhavens zakte ik weg, raakte van de wereld, en in stilte ging de reis verder door een sfeer van eeuwige duisternis. *Afgelopen.* Nee, toch nog niet – aan het einde van een soort een tunnel gloorde licht op. 'Zeg eens, weet u waar u bent?' Aangetikt, sloeg ik mijn ogen op. Een rijzige figuur in het wit had met een lampje in mijn ogen geschenen.

'Uhhh…' Vermoedelijk was je niet in de hemel. 'U bent in het AMC, meneer, in Amsterdam-Zuidoost.' Het bleek een arts op een zaaltje van de Intensive Care.

Hoe was ik hier in Godsnaam beland? Dat vroeg hij zich ook af. Volgens de portier was je gisteravond naar de desk gestrompeld en had, op zijn vraag wat er loos was, met een handgebaar terzijde gewezen: 'O, dat weet zij wel…' Daar stond geen mens, althans niet zichtbaar. Wegens ademnood, zwakte en verwardheid werd het een acute opname.

De arts vernauwde zijn ogen. 'Wie was die zij eigenlijk?'

Het klonk alsof hij wilde polsen of dit een geval voor de afdeling Neurologie was. De zuster bracht een infuus in. Van lieverlee daagden er stukjes thuisreis. In de Schiphol-trein werd je onwel, was versuft uitgestapt op het Centraal Station maar kon – totaal gedesoriënteerd – in het gekrioel van reizigers de taxistand niet vinden. Gestrand. Op dit punt van hopeloosheid verscheen er een overleden vrouw op het perron om haar 'cher ami' liefdevol verder te loodsen.

Ik slikte eens en verzuchtte: 'Mijn bewaarengel.'

'Ah.'

Een zuster met Arabische trekken keek de arts even aan. 'Och, dokter, zo iemand kan hem nooit aangestoken hebben.' De arts grijnsde en met een kuchje richtte hij zich weer ernstig tot de patiënt.

'In welk gebied bent u geweest?'

Na enig nadenken: 'Amazonië.'

'Juist, ja, dan kan het kloppen dat u aan *dengue* lijdt.'

Na het stellen van de diagnose stroopte hij opgelucht zijn plastic handschoenen af. Het besmettingsgevaar scheen geweken te zijn. 'U zult hier wel een poosje ter observatie moeten blijven.' Met een beterschapswens liet hij de behandeling aan het medisch personeel over.

Vurig gloeide er huiduitslag op. Zuster Farah maakte met verkoelende wikkels van de patiënt een soort mummie. Volgens haar kon die 'knokkelkoorts' gepaard gaan met waanbeelden. Ze zei het op een geruststellende toon. 'Als 't een uurtje later was geworden dan had 't slecht kunnen aflopen… u was net op tijd binnen.' Dankzij de hulp van een geestelijke gids? Het kon niet in een droom gebeurd zijn – er was sprake van verplaatsing tussen twee vaste punten in tijd en ruimte.

'Zuster, gelooft u in het bestaan van engelen?'

Glimlachend knikte ze van ja. 'Daar komt even een prik.'

In de kamer was de 'aanwezigheid' van een derde persoon te voelen, als een vage gloed in de etherlucht. Nooit meer eenzaam zijn. Een troostrijk idee voor een man die zich door God verlaten voelde.

Farah stelde de monitor af, nam de polsslag op, en bood handig hulp bij het plassen in een steek. Oranje urine. Na het kussen opgeschud te hebben, hield ze met de toppen van haar vingers een mapje op. 'Dit vond ik in uw schoen… iets van waarde?' De inhoud was, goed beschouwd, de miljoenencheque voor het Wapini-volk! Onderweg half verpulverd, werd die zo goed als waardeloos.

'Wat kreunt u,' vroeg ze meelevend, 'heeft u pijn?'

'Niet lichamelijk.'

'Zet de trubbels nou maar uit uw hoofd, het had erger gekund.' Monter schoof ze het gordijn open. 'Het wordt mooi weer.'

Uitzicht over de Bijlmermeer onder een opklarende lucht.

Zij zou de familie in Urk wel van de toestand op de hoogte stellen. 'Uw spullen liggen in het kastje,' zei ze alvorens de kamer met een blik op de klok te verlaten. 'Ga maar rusten, hè.'

Buiten klonk duivengekoer op.

Toen de verpleegster weg was doorzocht ik, nog even helder, op de tast het bedkastje. Moeizaam gegraai. De tas met het ingenaaide testament stond onderin. In de bovenste lade het reisjournaal van Lucile Iguana, verpakt in plastic folio. En nog iets – kil, glad aanvoelend als een pad. De *maraquita*. Stilaan werd dat 'ding' warm in je handpalm, en het ging kloppen als een hart.

's Avonds rond zeven uur klonk er op de gang een luide stem op. Die van een visserman, gewend om te praten in het tumult van golven en stormwind. Vader Schut. Ondanks duizelingen en enige hinder van het infuus, wist ik half rechtop in bed te gaan zitten.

Hij gaf een harde, koude hand. 'Hoe gaat 't ermee, zeun?'

'Mwah.'

Met een knipoog schoof hij iets in cadeaupapier onder je kussen. 'Een opkikkertje'. Moeder kwam binnen met een zak fruit en een bos narcissen. Ze schoot vol. Bij haar warme omhelzing, waarbij tranen vloeiden, rolden er een paar sinaasappels over de vloer.

'Waarom ben je zo lang weggebleven, m'n jongen?'
'Dat is een heel verhaal…'

Thuis zou het er nog wel eens uitkomen, rond de koffiepot in de gloed bij de kachel. Geen ontboezemingen bij neonlicht! In de steriele sfeer van het ziekenhuis zou je beleefde 'tropenromance' hen wellicht doen denken aan iets als een apenspel. Blonde Loes kwam gelukkig niet ter sprake.

Het viel moeder op dat zoonlief na het 'West-reisje' niet alleen vermagerd was, maar ook veranderd. Herman zou nooit meer de oude worden. Bij gebrek aan gespreksstof hadden we het maar over deze en gene op Urk. Pa en ma moesten morgen weer vroeg op. Sinds Sijtje er niet meer was, werkten ze beiden – hij op zijn trawler, zij in de visconservenfabriek. Ze zouden bidden voor een spoedige genezing.

'Doei… doei.'

Een stille verpleger haalde de bos narcissen weg. Goed, want Lucile had deernis met snijbloemen. 'Gewonde, stervende wezens, die het mana van de dood uitwasemen.' Vaders welkomstgeschenk bleek een flacon *Jägermeister*. Graag had je er een teug van genomen, maar ach, daar had je haar verdriet mee gedaan. Weg ermee! Ook Samson-shag paffen was voortaan taboe, om haar feeënziel niet te verjagen met rook.

Onlangs de notaris bezocht op zijn kantoor in een gildehuis aan de Graslei in Gent. Mr. Duchamp, een oude heer in het zwart. Snuffelend nam hij de smoezelige brief met haar wilsbeschikking in ontvangst. Zijns inziens was het nog te vroeg voor condoleances. Pas bij een 'gewis rechtsvermoeden' kon het Hof van Assisen een akte van overlijden afgeven. Tot die tijd gold de vermistenstatus. Mogelijke magische factoren in de gang van zaken wimpelde hij na een korte overweging weg met zijn pochet.

'Zulks kan niet zwart-op-wit opgesteld worden, hè.'

'Het valt inderdaad niet mee…'

'Een geestelijke nalatenschap werpt geen rente af, meneer Schut, en zoiets als een mystiek huwelijk neemt geen rechter in aanmerking.'

Hij vreesde dat het begunstigde volkje in Amapa tegen de tijd dat hun erfenis vrijkwam, al uitgestorven zou zijn. Wat viel er hard te maken? Het bleek dat Lucile Maghales, alias Iguana, onder curatele van haar oudere broer stond. Had die Michaël haar gangen in Zuid-Amerika soms laten nagaan? De notaris hield het voorzichtig op een politiek schimmenspel. Enfin, na bestudering van de stukken zal hij in overleg met haar familie in Brussel nog van zich laten horen. *Au revoir.* Het wachten is op een officiële doodverklaring.

Docks Hotel, Bristol, zondag 16 april 2000.

Bij uitgeverij Aspekt verscheen in 2008 van Ben Borgart de urban novel *Op de keien*, onder D. Santosh.

'*Op de keien* is een mee-slepende roman. In deze beschouwelijke fictie wordt het leven geschilderd van een ondernemer uit Heemstede, die zonder identiteit of geldmiddelen een dag in Rotterdam moet zien door te komen. Op filmische wijze schetst de auteur de bijzondere gebeurtenissen van die dag. Dit alles speelt zich af met op de achter-grond een decor van mys-tiek, een wankelend huwe-lijk, broeierige erotiek en zakelijke verwikkelingen. Humor en ontroering wisselen elkaar in een hoog tempo af.'

ISBN-10: 90-5911-692-5
Omvang 210 pagina's
Paperback € 17,95